KB172976

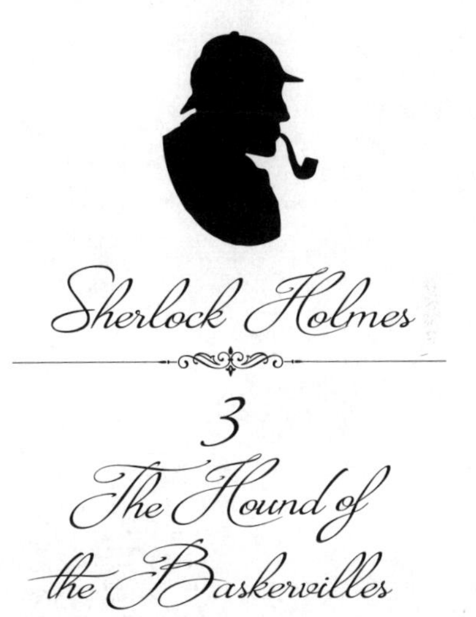
Sherlock Holmes
3
The Hound of
the Baskervilles

셜록 홈즈 전집 3
바스커빌가의 사냥개

초판 1쇄 펴냄 2012년 7월 10일
개정판 4쇄 펴냄 2020년 3월 23일

지은이 아서 코난 도일
옮긴이 바른번역
감수 박광규
펴낸이 하진석
펴낸곳 코너스톤
주소 서울시 마포구 독막로3길 51
전화 02-518-3919
ISBN 979-11-956573-3-9 04840

* 이 책 내용의 전부나 일부를 이용하려면 반드시 저작권자와 코너스톤의 서면 동의를 받아야 합니다.
* 책값은 뒤표지에 있습니다.
* 잘못된 책은 구입하신 곳에서 바꾸어 드립니다.

셜록 홈즈
전집

3

Sherlock Holmes

바스커빌가의 사냥개

아서 코난 도일 지음
바른번역 옮김 박광규 감수

코너스톤
Cornerstone

친애하는 로빈슨.
나는 자네에게서 들은
서부 지방의 어느 전설 덕분에
이 작품을 구상할 수 있었네.
그 이야기와, 이를 발전시키는 과정에서
자네에게 받은 도움에 깊은 감사를 전하네.

—진실한 벗, A. 코난 도일

Contents

바스커빌가의 사냥개

바스커빌가의 사냥개

The Hound of the Baskervilles

Sherlock
Holmes

1
셜록 홈즈

홈즈는 밤을 새는 일이 자주 있어 아침에는 보통 굉장히 늦은 시각에 일어나곤 했다. 그런데 그날은 식탁에서 아침을 먹고 있는 게 아닌가. 벽난로 앞 깔개 위에 서 있던 나는 바닥에 떨어진 지팡이를 집어 들었다. 어젯밤 우리를 찾아왔던 방문객이 두고 간 지팡이였다. 질 좋고 두꺼운 목재로 만들어진, 머리 부분이 둥근 '페낭 로여'라는 이름으로 불리는 것이었다. 바닥 부분에는 폭이 2.5센티미터쯤 되는 은색 테두리가 감겨 있었다. 테두리 위에는 '제임스 모티머 M.R.C.S.(왕립외과의사협회원—옮긴이)에게, C.C.H.의 친구들이'라는 글귀가 '1884'라는 연도와 함께 새겨져 있었다. 가족 주치의들이 흔히 가지고 다니는 위엄과 신뢰, 안정감을 주는 고풍스러운 느낌의 지팡이였다.

"왓슨, 지팡이를 보니 무슨 생각이 드나?"

홈즈는 나를 등지고 앉아 있었기 때문에 내가 뭘 하는지 전혀 알 수 없는 상황이었다.

“내가 뭘 하는지 어떻게 알았나? 자네는 뒤통수에도 눈이 달린 모양이군.”

“대신 내 앞에는 잘 닦인 은도금 커피 주전자가 있지” 하더니 홈즈는 다시 말을 이었다. “왓슨, 말해보게. 방문자의 지팡이를 통해 뭘 알 수 있나? 아쉽게도 방문자를 만나지 못해 왜 왔었는지 알 수는 없지만, 우연히 놓고 간 그 지팡이가 중요한 단서가 될 것 같군. 지팡이를 보고 남자가 어떤 사람인지 추리해보게.”

“내 생각에 모티머 씨는 나이 지긋하고 존경받는 성공한 의사 같군. 이런 글귀를 새겨 감사를 표시한 사람들이 있는 걸 보면.” 나는 가능한 한 홈즈의 방식을 흉내 내면서 대답했다.

“잘했어! 정말 훌륭해.” 홈즈가 칭찬했다.

“그리고 걸어서 자주 왕진을 다니는 시골 의사일 가능성이 매우 높아 보여.”

“왜 그렇지?”

“왜냐하면 이 지팡이가 처음에는 멀쩡했을 텐데 이렇게 심하게 닳은 걸 보면 도시에 사는 의사가 가지고 다녔다고 보기는 어려워. 두꺼운 쇠로 된 지팡이 끝이 심하게 훼손된 걸 보면 지팡이 주인은 이걸 가지고 아주 많이 걸어 다닌 것이 분명해.”

“완벽하군!”

“그리고 여기 ‘C.C.H.’의 친구들이라는 문구 말이야. 내 생각엔 사냥과 관련 있는 것 같아. 시골의 사냥 클럽 회원에게 의사인 모티머 씨가 어떤 의학적 도움을 주었고, 그 답례로 이 선물을 받은 거지."

"왓슨, 자네 정말 대단하군." 홈즈가 의자를 뒤로 밀고 담배에 불을 붙이며 말했다. "이 말을 꼭 하고 싶네. 지금까지 내가 거둔 작은 성과들은 자네의 탁월한 조언 덕분이었다네. 자네는 자신의 능력을 습관적으로 과소평가하는 경향이 있어. 자네 자신이 빛을 발하는 사람은 아닐지 모르지만, 자넨 다른 사람을 빛으로 이끄는 안내인이라네. 어떤 사람들은 천재가 아니지만 천재를 자극하는 놀라운 힘이 있거든. 고백하건대 나는 자네에게 정말 신세를 많이 졌다네."

지금까지 홈즈가 나를 이렇게 칭찬한 적은 없었다. 홈즈의 말에 나는 정말로 큰 기쁨을 느꼈다. 사실 홈즈에 대한 찬사와 홈즈의 사건 해결 방법을 널리 알리려는 내 다양한 시도에 언제나 무관심한 홈즈 때문에 그동안 마음의 상처를 꽤 받았기 때문이다. 특히 홈즈만의 추리 방법을 익혀 활용하고, 그의 인정을 받을 만큼이 되었다고 생각하니 기분이 우쭐해졌다. 홈즈는 나에게서 지팡이를 넘겨받아 잠시 눈으로 살펴봤다. 그러더니 흥미롭다는 듯 담배를 내려놓고 지팡이를 가지고 창문가로 가 볼록 렌즈로 다시 자세히 관찰했다.

"단순하긴 하지만 흥미롭군." 홈즈는 자신이 애용하는 소파의 구석 자리로 돌아가며 중얼거렸다. "지팡이에 한두 개의 분명한 단서가 있어. 이걸 기반으로 몇 가지 추리를 할 수 있을 거야."

"내가 놓친 게 있다는 말인가?" 나는 자신감에 찬 목소리로 물었다. "난 놓친 게 없는 것 같은데."

"유감스럽게도 왓슨, 자네 추리의 대부분은 틀렸다네. 자네가 나를 자극한다는 의미는 솔직히 말하면, 자네의 잘못된 추리가 가끔은 나를 사실로 안내한다는 의미였어. 그래도 이번 추리의 경우, 완전히 다 틀린 것은 아니네. 그 남자는 분명 시골 의사이고 많이 걷는다네."

"그럼 내 말이 맞지 않은가?"

"거기까지는."

"하지만 그게 전부 아닌가?"

"아니, 아니야. 왓슨, 전부가 아니라네. 생각해보게. 사냥 클럽보다는 병원이 의사에게 기념품을 줄 가능성이 더 높지 않은가? 그리고 이니셜 C.C.를 병원hospital 앞에 놓고 보면 채링 크로스Charing Cross 병원이 아주 자연스럽게 떠오른다네."

"그건 자네 말이 맞는 것 같군."

"그럴 가능성이 높네. 만약 우리가 이렇게 가설을 세운다면 이 익명의 방문자에 대해 추리를 할 수 있는 새로운 발판을 마련하는 셈이지."

"그런데 C.C.H.를 채링 크로스 병원Charing Cross Hospital의 약자라고 가정한다고 해서 우리가 더 알 수 있는 게 뭔가?"

"그것이 암시하는 것을 모르겠다고? 자네, 내 추리 방법을 알지 않는가? 그걸 사용해보게!"

"내가 분명히 추리할 수 있는 것은 그 남자가 시골로 가기 전에 도시에서 의사 생활을 했다는 것뿐이네."

"그것보다는 조금 더 많은 것을 알아낼 수 있을 걸세. 이런 관점에서 한번 살펴보게. 그와 같은 선물을 줄 만한 일이 무엇이었겠나? 친구들이 어떤 경우에 감사의 뜻을 전달하고 싶어 하겠나? 분명히 모티머 씨가 개인 병원을 개업하기 위해 도시의 병원을 그만두었을 때일 걸세. 그럴 때 보통 기념품을 주니까. 모티머 씨가 도시의 병원에서 시골 병원으로 내려간 걸로 추정한다면, 이 지팡이는 송별 기념으로 준 거라고 봐도 무리가 없지 않겠나?"

"확실히 그런 것 같군."

"이제 자네도 모티머 씨가 병원의 정식 직원은 아니었을 거라는 사실을 알 수 있을 거야. 그런 자리는 런던에 있는 병원에서 성공한 사람만이 차지할 수 있지. 또 그런 사람은 시골로 내려갈 이유도 없었을 테고. 그럼 모티머 씨는 어떤 위치였겠나? 병원에 있었지만 정식 직원이 아직 아니었다면 아마 외과나 내과의 인턴이었을 거야. 의대 졸업반 학생보다 약간 더 높은 위치 말이야. 그리고 지팡이에 새겨진 날짜를 보면 모티머 씨는 5년 전에 떠났잖아. 따라서 중년의 가족 주치의라는 자네의 추리는 완전히 틀린 것이네, 왓슨. 대신에 30대 미만의 젊고, 친절하고, 순수하지만, 산만하고, 개를 키우는 사람이라네. 개는 아마도 테리어보다는 크고 마스티프보다는 작을 걸세."

나는 미심쩍은 듯 웃었다. 홈즈는 의자에 등을 기대고 담배 연기로 흔들리는 작은 원을 만들어 천장을 향해 내뱉었다.

"마지막 부분의 자네 추리는 확신하기 어려울 것 같군. 하지만 그 남자의 나이와 전문 경력을 알아내는 것은 그리 어려운 일이 아니지." 나는 의학 관련 자료를 모아둔 작은 선반에서 의사 명부를 꺼내 이름을 찾기 시작했다. 모티머라는 이름을 가진 사람이 몇 명 있었지만, 우리의 방문자로 여겨지는 사람은 한 명뿐이었다. 나는 그의 기록을 큰 소리로 읽었다.

"제임스 모티머, M.R.C.S., 1882년, 데번 주 다트무어 시 그림펜. 1882년부터 1884년까지 채링 크로스 병원에서 외과 인턴으로 근무. 〈질병은 격세유전인가?〉라는 논문으로 비교병리학 분야의 잭슨상 수상. 스웨덴 병리학회 객원 회원. 《격세유전으로 인한 기형》(랜싯, 1882년)의 저자. 〈인류는 진보하는가?〉(심리학 저널, 1883년 3월). 그림펜, 소슬리, 하이 배로우 지역의 보건소장."

"왓슨, 지역 사냥 클럽에 대한 언급은 없군." 홈즈가 장난기 가득한 얼굴로 빈정거렸다. "하지만 시골 의사인 건 맞았군. 자네도 통찰력 있게 추리한 거야. 어쨌든 내 추리가 상당히 근거가 있었군. 내 기억이 맞다면 모티머 씨는 친절하고, 순수하지만, 산만하다고 묘사했었지. 내 경험에서 보면 오직 친절한 사람만이 그런 기념품을 선물받지. 순수하기 때문에 런던의 요직을 버리고 시골로 갈 수 있었고, 산만하기 때문에 자신의 지팡이를 두고 갔던 것이고, 우리 방에서 1시간이나 기다린 뒤에도 명함을 두고 가지 않은 걸세."

"그럼 개에 대해서는 어떻게 알았나?"

"개는 주인 뒤에서 이 지팡이를 물고 다니는 습성이 있었네. 이 무거운 지팡이의 중간을 꽉 물고 다녔지. 이빨 자국이 아주 선명하게 보이거든. 이 이빨 자국 사이의 거리를 보면 개의 턱 길이는 테리어보다는 훨씬 폭이 넓고, 마스티프보다는 작다네. 그것은 아마도…. 역시 그렇군. 털이 곱슬곱슬한 스패니얼이었어."

홈즈는 말을 하면서 일어나 방을 가로질러 창문 앞에 멈춰 섰다. 홈즈의 목소리가 너무 확신에 차 있어 나는 약간 놀란 얼굴로 바라봤다.

"홈즈, 어떻게 그렇게 확신을 하나?"

"간단하지. 지금 우리 집 현관 앞에 그 개가 있거든. 주인이 벨을 울리는군. 왓슨, 가지 말고 기다리게. 저 사람, 자네와 직업이 같으니 자네가 함께 있다면 많은 도움이 될 걸세. 이제 운명의 순간이 다가오는군. 왓슨, 계단을 올라오는 발자국 소리가 들리나? 우리의 삶을 향해 걸어오는 소리지. 그런데 저 소리가 좋은 일일지 나쁜 일일지 알 수가 없네. 과학자이며 의사인 모티머 씨가 범죄 전문가인 이 홈즈에게 묻고 싶은 것은 뭘까? 네, 들어오세요!"

전형적인 시골 의사를 예상했던 나는 방문자의 외모를 보고 깜짝 놀랐다. 그는 키가 크고 말랐으며, 좁은 미간 사이로 매부리코가 돌출돼 있었다. 날카로운 회색 눈은 금테 안경 뒤에서 밝게 빛나고 있었다. 의사다운 옷차림이었지만 단정하지는 않았다. 외투는 지저분했고, 바지는 많이 낡아 있었다. 아직 젊은데도 긴 허리는 벌써 구부정했고, 머리를 앞으로 숙인 채 걸었다. 전체적으로 선해 보이는 인상이었다. 모티머 씨는 홈즈의 손에 들린 지팡이를 보자 황급히 달려와 기쁜 목소리로 소리쳤다.

"아, 여기 있었군요! 이 지팡이를 여기다 두었는지, 해운 회사 사무실에 놓고 왔는지 알 수가 없었는데, 다시 찾아 정말 다행입니다."

"아, 선물로 받은 거로군요?" 홈즈가 물었다.

"예, 맞습니다."

"채링 크로스 병원에서요?"

"제가 결혼할 때 거기에 친구가 몇 명 있었어요."

"이런, 이런, 틀렸군!" 홈즈는 고개를 저으면서 투덜거렸다.

모티머 씨는 놀라서 안경 속에서 눈을 반짝이며 물었다.

"뭐가 틀렸다는 거죠?"

"우리의 추리를 혼란스럽게 하는 게 있어서요. 결혼하셨다고요?"

"네, 결혼했습니다. 그래서 다른 의사들처럼 개업의가 되려고 병원을 떠났죠."

"그럼, 우리의 추리가 다 틀린 건 아니군요." 홈즈가 말을 이었다. "제임스 모티머 의사 선생님."

"그냥 '씨'라고 불러주세요, 홈즈 씨. 평범한 왕립외과의사협회원일 뿐입니다."

"성격이 매우 분명하시군요."

"과학에 취미가 좀 있습니다, 홈즈 씨. 과학이라는 거대한 미지의 바닷가에서 조개를 줍는다고 해야 할까요. 제가 지금 대화하고 있는 분이 홈즈 씨죠? 아닌가요?"

"맞습니다. 이쪽은 제 친구이자 의사인 왓슨입니다."

"만나서 반갑습니다, 왓슨 선생. 저는 선생의 이름을 의학계 통에서 일하는 선생의 친구분들을 통해 들은 적이 있습니다. 홈즈 씨도 무척 흥미로운 분이군요. 머리가 이렇게 장두長頭이고, 안와眼窩가 이처럼 잘 발달하신 분일 거라고는 전혀 예상하지 못했습니다. 실례가 안 된다면 제 손으로 두개골을 좀 만져봐도 될까요? 홈즈 씨의 두개골 모형은 원형을 구할 수 있을 때까지 인류학 박물관에 진열할 가치가 있을 것 같군요. 기분 나쁘게 할 의향은 없습니다만, 홈즈 씨 두개골은 정말이지 제가 연구해보고 싶은 분야입니다."

홈즈는 이 이상한 방문자에게 의자에 앉으라고 손짓했다.

"모티머 씨는 자신의 분야에 매우 충실하시군요. 저도 제 분야에 대해 그렇습니다. 집게손가락을 보니 직접 담배를 말아 피우시는군요. 원하신다면 언제든 피우셔도 좋습니다."

모티머 씨는 주머니에서 담배와 종이를 꺼내 놀랄 정도의 민첩한 솜씨로 담배를 말았다. 길고 날렵한 손가락은 마치 곤충의 더듬이처럼 민감하고 빠르게 움직였다.

홈즈는 말이 없었지만, 여기저기 살펴보는 모습에서 홈즈가 이 방문자에게 꽤 호기심을 느끼고 있다는 것을 알 수 있었다.

"제 생각엔, 모티머 씨." 홈즈가 드디어 말을 꺼냈다. "단순히 제 두개골을 검사하고 칭찬하시기 위해 어젯밤에 이어 오늘 또다시 오신 건 아니시죠?"

"물론 아닙니다, 홈즈 씨. 다만 두개골도 볼 수 있는 기회를 갖게 되어 기뻤을 뿐입니다. 홈즈 씨, 제가 온 이유는 갑작스럽게 굉장히 심각하고 비상식적인 문제를 만나 제 스스로 그 문제를 풀 수 없다는 것을 알았기 때문입니다. 홈즈 씨가 유럽에서 두 번째로 뛰어난 전문가라는 이야기를 듣고 왔습니다."

"아, 그래요? 영광스러운 그 첫 번째 분은 누구인지 여쭤봐도 되겠습니까?" 홈즈가 퉁명스러운 얼굴로 물었다.

"정확한 과학적 사고를 하는 사람들에게는 베르티용 씨의 업적이 아마도 가장 대단한 것으로 보일 겁니다."

"그럼 그분한테 가서 상담을 하셔야 하지 않을까요?"

"제가 말씀드린 것은 정확한 과학적 견지에서 보면 그렇다는 겁니다. 하지만 범죄 분야에서의 최고는 단연 홈즈 씨라고 하더군요. 제가 좀 경솔했나 봅니다."

"뭐, 그럴 수도 있죠. 또 다른 용건이 없으시다면 조언을 요청하시는 문제의 핵심이 정확하게 뭔지 자세히 설명해주셨으면 합니다."

2
바스커빌가의 저주

"제 주머니에 문서가 있습니다." 모티머 씨가 말을 꺼냈다.

"모티머 씨가 방에 들어올 때부터 보고 있었습니다." 홈즈가 대답했다.

"이것은 오래된 육필 원고입니다."

"위조된 것이 아니라면 18세기 초반에 만든 것이군요."

"어떻게 아신 겁니까, 홈즈 씨?"

"주머니에서 3~5센티미터가량 삐져나와 있어 대화하는 동안 줄곧 관찰할 수 있었습니다. 문서의 제작 연도를 10년 정도의 오차 내에서 추정하지 못한다면 그 사람은 분명 형편없는 전문가일 겁니다. 읽으셨는지 모르겠지만 저는 이 문제에 관한 논문을 쓴 적도 있습니다. 제가 볼 때는 1730년대입니다."

"정확한 제작 연도는 1742년입니다." 모티머 씨가 위쪽 주머니에서 문서를 꺼냈다. "이 가문의 문서는 찰스 바스커빌 경의 의뢰로 제가 보관하고 있는 것입니다. 약 3개월 전 그분의 갑작스럽고 비극적인 죽음 때문에 데번셔가 발칵 뒤집혔습니다. 저는 그분의 친구이자 주치의입니다. 찰스 경은 강한 심성을 가진 현명하고 실용적인 분으로, 저만큼이나 미신을 믿지 않는 분이셨어요. 그런데 이상하게도 이 문서만큼은 매우 심각하게 받아들였고, 결국에는 자신이 이런 일을 당하리라는 것을 예상했던 것 같습니다."

홈즈는 손을 뻗어 문서를 집어 들고 무릎 위에 펼쳤다. "왓슨, 이리 와서 한번 살펴보게. S를 길고 짧게 번갈아 사용했네. 이것이 내가 연도를 측정한 몇 가지 단서 중에 하나였어."

나는 홈즈의 어깨너머로 색이 바란 노란색 문서를 살펴봤다. 윗부분에는 '바스커빌 저택', 아래에는 크게 휘갈겨 쓴 글씨로 '1742'라고 적혀 있었다.

"일종의 진술서처럼 보이는군요."

"맞습니다. 그건 바스커빌 가문에 전해 내려오는 어떤 전설에 대한 기록입니다."

"모티머 씨가 저에게 상담하고 싶은 것은 좀 더 현대적이고 실제적인 것이라고 생각했는데요?"

"네, 가장 최근에 일어났고, 실제적이며 긴급한 문제입니다. 더구나 24시간 이내에 결정을 내려야 하고요. 하지만 문서의 내용은 길지 않고 이번 문제와 긴밀하게 연관되어 있습니다. 허락해주신다면 제가 읽어드리겠습니다."

홈즈는 손가락 끝을 모으고 눈을 감은 채 생각에 잠긴 듯 의자에 몸을 기댔다. 모티머 씨는 문서를 불빛 방향으로 돌리고 날카로운 고음의 목소리로 괴이한 과거 이야기를 읽어 내려갔다.

바스커빌 가문의 사냥개에 대한 기원은 여러 가지가 있지만, 나는 휴고 바스커빌의 직계 자손으로 아버지에게 이 얘기를 들었고, 아버지는 할아버지께 얘기를 들었다. 그렇기 때문에 나는 그것이 여기에 설명된 것처럼 실제로 일어났었다고 믿으며 이 문서를 작성한다. 우리 후손들은 죄를 벌하시는 정의의 여신은 또한 너그럽게 용서하시기도 하므로 아무리 가혹한 저주라도 기도와 참회로 풀 수 있다는 것을 믿기 바란다. 그리고 이 이야기를 통해 지난 과오를 지나치게 두려워하기보다는 우리 가문을 그토록 처참한 고통 속에 빠뜨렸던 더러운 욕망이 다시 살아나 활개 치는 일이 없도록 앞으로 신중하게 행동하기 바란다.

때는 청교도혁명의 시기였다(이와 관련된 역사는 박식한 클래런던 경이 가장 잘 알고 있다). 당시 바스커빌 저택에는 가문의 자손인 휴고가 살고 있었다. 휴고 바스커빌은 매우 사나운 성격으로, 신성을 모독하며 신을 믿지 않는 사람이었다. 사실 주변 사람들은 이 지역에서 성자가 나온 적이 한 번도 없었기 때문에 그를 용서했는지 모르겠지만, 휴고는 호색한과 잔인한 성격의 대명사로 서부 지역에 널리 알려져 있었다. 그런 휴고가 우연히 바스커빌 저택 부근에서 농사를 짓는 자작농의 딸을 보고 사랑에 빠졌다(그런 더러운 열정에 감히 사랑이라는 단어를 사용할 수 있을지는 모르겠지만). 분별력 있고 평판 좋은 젊은 처녀는 그의 소문을 익히 알고 있었기 때문에 그를 계속 피했다. 그러나 성 미가엘 축일에 휴고는 게으르고 사악한 친구 대여섯 명과 함께 처녀의 농장에 몰래 숨어들어 그녀를 납치했다. 그녀의 아버지와 오빠들이 외출 중이라는 사실을 미리 알고 있었기 때문이다. 휴고와 그 패거리들은 처녀를 저택으로 데리고 와 위층 방에 가두고 밤마다 그랬듯이 흥청망청 먹고 마셨다. 불쌍한 처녀는 밑에서 들려오는 노랫소리, 고함 소리, 끔찍한 욕지거리에 미칠 것만 같았다. 휴고는 술에 취하자 자신들을 비난하는 모든 사람을 죽일 것처럼 악을 썼다고 한다. 공포가 극에 달하자 처녀는 가장 용맹하고 민첩한 남자들도 하기 어려운 시도를 감행했다. 남쪽 벽을 덮고 있는 담쟁이덩굴(지금도 그대로 있다)을 타고 창문을 통해 아래로 내려온 것이다. 그러고는 집을 향해 황야를 가로질러 달리기 시작했다. 저택에서 그녀의 집까지는 무려 15킬로미터가 넘는 거리였다. 휴고는 패거리들을 남겨둔 채 술과 음식을 가지고 처녀가 있는 방으로 올라갔다. 물론 술과 음식이 목적이 아니라 더한 짓을 저지르려고 했지만, 방에 들어선 휴고는 처녀가 도망친 사실을 알게 되었다. 그는 악마로 돌변해 미친 듯이 계단을 뛰어내려와 식당으로 들어갔다. 휴고가 큰 식탁 위로 뛰어오르자 주변에 있던 술병과 음식이 여기저기로 튀었다. 그는 패거리들 앞에서 처녀를 다시 잡아올 수만 있다면 자신의 육체는 물론 영혼까지도 기꺼이 악마에게 팔겠다고 미친 듯이 소리쳤다. 일행들이 휴고의 분노에 놀라 정신이 없을 때 다른 놈들보다 더 취한 한 사악한 녀석이 '사냥개를 풀어야 한다'고 소리쳤다. 그러자 휴고는 저택 밖으로 뛰쳐나가면서 마부들에게 당장 말에 안장을 올려 마구간에서 데리고 나오라고 소리쳤다. 곧바로 사냥개에게 처녀의 손수건 냄새를 맡게 하고 개들을 풀었다. 그러고는 괴성을 지르며 황야의 달빛 속으로 말을 몰았다.

갑작스럽게 발생한 일에 남은 패거리들은 잠시 정신이 없었다. 그러나 술에 취했어도 황야에서 어떤 일이 벌어질지 금방 예상할 수 있었다. 이들은 서둘러 움직이기 시작했다. 일부는 총을 준비하고 나머지는 말과 술병을 챙겼다. 다시 정신을 차린 열세 명의 패거리들은 말을 타고 휴고를 따라갔다. 환한 달빛 아래서 이들은 처녀가 집으로 돌아가려면 반드시 거쳐야 하는 길을 따라서 횡대로 말을 몰았다.

2~3킬로미터쯤 추적했을 때 그들은 야간작업을 하고 있는 양치기를 만났다. 처녀를 보았는지 큰 소리로 묻자 양치기는 겁에 질려 제대로 말을 하지 못하다가, 결국 도망치는 처녀와 그 뒤를 쫓는 사냥개들을 봤다고 털어놨다. 그런데 양치기는 '그보다 더 놀라운 것도 봤어요'라고 말을 잇더니 '휴고 바스커빌이 흑마를 타고 저를 지나쳐 갈 때 그 뒤에 지옥의 사냥개가 소

리 없이 따라 붙었어요. 오, 제발! 저에게는 그런 일이 일어나지 않기를…' 하면서 몸을 떨었다. 술 취한 패거리들은 무슨 미친 소리냐며 양치기를 욕하고는 다시 앞으로 말을 몰았다. 그러나 이들은 곧 소름 끼치는 광경을 목격했다. 휴고의 흑마가 거품을 물고 풀린 고삐와 안장을 질질 끌면서 빠른 속도로 달려와 패거리를 지나간 것이다. 겁에 질린 패거리들은 간격을 좁혀 계속 황야 속으로 말을 달렸다. 아마 혼자였다면 바로 말을 돌려 돌아갔을 것이다. 조심스럽게 말을 몰아 이들은 마침내 사냥개들이 있는 곳에 도착했다. 용맹한 혈통을 지닌 것으로 알려진 사냥개들은 어찌된 일이지 깊은 구멍 같은 계곡 앞에서 무리를 지어 낑낑거리고 있었다. 패거리들이 사냥개를 부르자 몇 마리는 슬금슬금 뒷걸음을 치고, 어떤 녀석은 털을 곧추세우고 노려보는 눈빛으로 앞에 있는 좁은 계곡을 뚫어지게 쳐다봤다.

패거리들은 계곡 앞에 멈춰 섰다. 출발할 때보다 훨씬 술이 깬 상태였다. 이들 대부분은 아마 밑으로 내려가고 싶지 않았을

SIDNEY PAGET

것이다. 그러나 가장 배짱 좋은, 아니 어쩌면 아직 술이 덜 깬 세 명이 계곡 아래로 말을 타고 내려갔다. 밑으로 내려가자 아주 먼 옛날 사람들이 세운 것으로 보이는 거대한 크기의 돌기둥 두 개가 서 있는 넓은 공간이 나타났다. 달빛이 환하게 비춰 모든 광경이 선명하게 드러나 보이는 한가운데에 불쌍한 처녀가 두려움으로 탈진해 숨진 채 쓰러져 있었다. 그러나 세 명의 패거리가 머리털이 곤추서도록 놀란 것은 처녀의 시체나 그 옆에 있는 휴고 바스커빌의 시체 때문이 아니었다. 휴고의 시체 앞에는 사냥개처럼 생긴 거대한 검은색 괴물이 휴고의 목젖을 물어뜯고 있었다. 지금까지 한 번도 본 적 없는 엄청나게 큰 덩치였다. 패거리들이 찢겨진 휴고의 목덜미를 바라보자 그 개는 이글거리는 눈빛과 피가 뚝뚝 떨어지는 얼굴을 그들 쪽으로 돌렸다. 공포에 질린 세 명은 날카로운 비명을 지르며 말을 타고 필사적으로 도망쳤다. 그 뒤로 괴물 사냥개의 울부짖음이 황야에 울려 퍼졌다. 소문에 의하면 세 명 중 한 명은 그 광경을 본 그날 밤 죽었고, 나머지 두 명도 평생을 폐인으로 살았다고 한다.

나의 후손들이여, 이것이 우리 가문을 그토록 고통스럽게 만든 사냥개의 유래다. 내가 이것을 기록한 이유는 분명하게 전달하는 것이 막연히 추측하는 것보다 공포가 줄어들 것이라고 생각했기 때문이다. 우리 가문 사람들이 갑작스럽게 흉측하고 이해할 수 없는 불행한 죽음을 당했다는 사실도 부인할 수 없다. 그러나 우리는 신의 무한한 자비로 구원받을 수 있을 것이다. 신은 성경 말씀대로 3~4세대 이후의 무고한 자손들을 벌하지는 않으실 것이다. 신의 섭리를 믿으며 나는 후손들에게 간곡하게 권하고 충고한다. 부디 악의 세력이 미쳐 날뛰는 어두운 밤에 황야를 건너는 일이 없도록 해라.

휴고 바스커빌에서 유래한 이야기를 그의 후손 로저와 존에게 전하며.

단, 누이 엘리자베스에게는 이 이야기를 절대 발설하지 말 것을 당부한다.

모티머 씨는 이 이상한 이야기를 다 읽고 나자 안경을 이마로 치켜 올리면서 맞은편에 앉은 홈즈를 빤히 바라보았다. 홈즈는 하품을 하면서 다 핀 담배를 벽난로에 던졌다.

"끝입니까?" 홈즈가 물었다.

"흥미롭지 않습니까?"

"동화 수집가에게는 흥미롭겠군요."

모티머 씨는 접혀 있는 신문을 주머니에서 꺼냈다.

"홈즈 씨, 이제 좀 더 최근의 얘기를 들려드리죠. 이것은 올해 5월 14일자 〈데번 주 신문〉입니다. 여기에 신문이 발행되기 불과 며칠 전에 발생한 찰스 바스커빌 경의 죽음에 관한 기사가 실려 있습니다."

홈즈는 몸을 조금 앞으로 숙이면서 관심을 드러냈다. 모티머 씨는 안경을 다시 쓰고 기사를 읽기 시작했다.

다음 선거에서 중부 데번 주의 유력한 자유당 후보로 거론되었던 찰스 바스커빌 경의 갑작스런 죽음으로 주 전체가 슬픔에 빠졌다. 찰스 경이 바스커빌 저택에 산 기간은 비교적 짧지만, 그는 성격이 온화하고 무척 인정이 많아 그를 아는 모든 사람들의 관심과 존경을 받았다. 벼락부자들이 판치는 시대에 과거 불행한 일로 몰락한 명문가의 후손이 부자가 되어 가문의 위엄을 재건하기 위해 돌아온 것은 매우 반가운 일이다. 찰스 경은 남아프리카에 투자해 큰돈을 번 것으로 알려져 있다. 그는 현명하게도 번 돈을 날린 다른 사람들과 달리 돈을 갖고 영국으로 돌아왔다. 바스커빌 저택에 거주한 지는 2년밖에 되지 않았지만, 가문을 재건하고 발전시키려던 경의 계획이 얼마나 원대했는지는 잘 알려진 사실이다. 하지만 경의 죽음으로 모든 계획은 중단되었다. 찰스 경은 자식이 없었기 때문에 평생 동안 자신의 재산으로 지역 주민들에게 도움을 주겠다고 공공연하게 얘기했었다. 때문에 많은 사람이 경의 갑작스런 죽음에 비통함을 느낄 것이다. 찰스 경은 지역과 주 자선 단체에 막대한 돈을 기부해 자주 본지에 기사화되기도 했다. 찰스 경의 죽음과 관련된 정황이 검시를 통해 완전히 명확하게 밝혀졌다고 말하기는 힘들지만, 최소한 이 지방의 전설이 되살아났다는 소문을 잠재우기에는 충분했다. 찰스 경이 자연적 요인이 아닌 다른 이유로 죽었다고 의심할 만한 증거는 없었다. 찰스 경은 가족이 없었고, 정서적으로 여러 가지 특이한 습성이 있었다고 알려졌다. 찰스 경은 엄청난 부자임에도 불구하고 개인적으로는 간편한 것을 선호했다. 저택에 거주하는 하인은 집사와 가정부로 일한 배리모어 부부뿐이었다. 여러 친구들의 증언에 따르면 찰스 경은 건강이 좋지 않았다고 한다. 특히 심장 질환으로 인해 안색이 변하고 호흡 곤란이 오기도 하고 심각한 우울증을 겪기도 했다고 알려졌다. 친구이자 주치의인 제임스 모티머 씨도 고인이 그와 같은 증상을 보인 적이 있다고 밝혔다.

사건의 요지는 간단하다. 찰스 바스커빌 경은 매일 밤 잠자리에 들기 전 바스커빌 저택 주변에 있는 잘 꾸며진 주목나무 산책로를 걷는 버릇이 있었다. 집사인 배리모어의 증언에 따르면 이것은 경의 오랜 습관이었다고 한다. 5월 4일 찰스 경은 다음 날 런던으로 출발할 거라면서 배리모어에게 여행 가방을 준비해두라고 지시했다. 그날 밤도 찰스 경은 늘 하던 대로 야간 산책을 위해 저택을 나섰다. 찰스 경은 산책 중에 시가를 피우는 버릇이 있었다. 그러나 그날 찰스 경은 돌아오지 않았다. 밤 12시에 배리모어는 저택 현관문이 아직 열려 있는 것을 발견하고 놀라서 등불을 들고 주인을 찾아 나섰다. 그날은 날씨가 축축했기 때문에 산책로를 따라 난 찰스 경의 발자국을 쉽게 추적할 수 있었다. 산책로의 중간쯤에 황야로 나가는 문이 있다. 그 주변에는 찰스 경이 잠깐 동안 그곳에 서 있었다는 여러 가지 흔적들이 있었다. 배리모어는 계속 길을 따라 내려가 산책로 끝에서 찰스 경의 시신을 발견했다. 배리모어의 진술 중 한 가지 이해되지 않는 것은, 찰스 경의 발자국이 황야로 나가는 문을 지나는 시점부터 뒤꿈치를 들고 걸어간 것으로 보인다고 말한 부분이다. 말 장사꾼인 집시 머피가 그 시간 황야에서 멀지 않은 곳에 있었지만 술에 많이 취해 있었다고 한다. 머피의 진술에 따르면 어느 방향에서 들려오는지는 알 수 없었지만 울음소리를 들었다고 한다. 찰스 경의 몸에서는 그 어떤 폭행의 흔적도 발견되지 않았지만, 의사는 믿기 어려울 정도로 얼굴이 일그러져 있었다고 증언했다. 그래서 제임스 모티머 씨는 처음에는 자기 앞에 있는 시체가 정말 자신의 친구이자 담당 환자인 찰스 경이 맞는지 믿기 어려웠다고 한다. 그러나 그와 같은 증상은 심장 마비로 인한 호흡 곤란으로 사망한 경우에 흔하게 볼 수 있는 것이라고 한다. 사후 검시를 통해 찰스 경이 오랫동안 심장 질환을 앓고 있었다는 것이 밝혀졌고, 이를 바탕으로 검시 배심원단은 찰스 경이 자연사했다는 평결을 내렸다. 이렇게 평결이 난 것은 잘된 일이다. 찰스 경의 상속자가 저택에 다시 거주해야 하고, 경

의 죽음으로 안타깝게도 중단된 자선 사업들이 계속되기 위해서는 아주 중요한 일이기도 하다. 검시관이 발견한 의학적 증거가 이 사건과 관련해 은밀하게 퍼지고 있는 괴이한 소문을 막지 못했다면, 바스커빌 저택의 새 주인을 찾기 힘들었을 것이다. 만약 살아 있다면, 찰스 경의 상속자는 동생의 아들인 헨리 바스커빌로 밝혀졌다. 이 젊은 상속자는 미국에 있는 것으로 알려졌는데, 막대한 유산상속 소식을 전달하기 위해 조사가 진행 중이다.

모티머 씨는 신문을 접어 다시 주머니에 집어넣었다. "이것이 찰스 바스커빌 경의 사망과 관련해 공개된 사실입니다, 홈즈 씨."

"감사하다고 말해야겠네요." 홈즈가 대답했다. "몇 가지 점에 있어 이 사건은 매우 흥미롭습니다. 당시 저는 이 사건에 대한 몇몇 신문 기사를 본 적이 있습니다. 그러나 바티칸 카메오 사건에 완전히 몰두해 관심을 교황에게 두고 있었기 때문에 영국에서 발생한 흥미로운 몇 가지 사건을 놓치고 말았지요. 이 기사가 알려진 모든 사실을 담고 있나요?"

"네, 그렇습니다."

"그럼 이제 알려지지 않은 사실을 얘기해주세요." 홈즈는 의자에 등을 기대고 손가락 끝을 맞대었다. 이것은 홈즈가 매우 침착하고 이성적인 상태라는 것을 의미한다.

"그럴까요?"라고 말하면서 모티머 씨는 심각한 감정적 동요를 드러내기 시작했다.

"지금까지 누구에게도 말하지 않은 사실을 말씀드리겠습니다. 검시관의 조사 당시 제가 알고 있는 일부 사실을 감춘 이유는 과학을 하는 사람이 널리 퍼져 있는 미신을 지지하는 것처럼 대중에게 보이고 싶지 않았기 때문입니다. 더 나아가서 저의 증언이 바스커빌 저택이 갖고 있는 흉측한 소문을 증폭시키는 일을 한다면, 기사에서 언급했듯 분명히 저택의 새 주인을 구하지 못할 것이기 때문입니다. 이 두 가지 이유 때문에 경찰에는 제가 알고 있는 것보다 훨씬 적게 얘기를 했는데, 제 얘기를 통해 좋은 결과가 나올 것 같지 않았기 때문입니다. 하지만 두 분에게는 솔직하게 다 털어놓지 못할 이유가 없습니다. 황야 주변에는 거주하는 사람이 많지 않기 때문에 이웃 간에 서로 아주 친하게 지냅니다. 그래서 저와 찰스 경도 무척 자주 만났습니다. 래프터 저택의 프랭클랜드 씨와 박물학자인 스테이플턴 씨를 제외하면 그 주변에는 제대로 된 교육을 받은 사람이 없거든요. 찰스 경은 은퇴했지만 경의 병 때문에 저와 만나는 계기가 되었고, 과학에 대한 공통된 관심으로 계속 만남을 가졌습니다. 찰스 경은 남아프리카에서 많은 과학 정보를 가지고 돌아왔고, 우리는 부시먼과 호텐토트의 비교해부학에 대해 논의하면서 여러 날 밤을 즐겁게 보내기도 했습니다.

최근 몇 달 사이에 저는 찰스 경이 견디기 힘들 정도의 강한 심리적 압박을 받고 있다는 것을 분명히 알 수 있었습니다. 제가 두 분에게 자세히 읽어드린 그 전설을 찰스 경은 심각하게 받아들였습니다. 얼마나 신경을 썼는지 찰스 경은 자신의 저택을 산책하면서도 밤에는 결코 황야로 나가지 않았습니다. 우습게 들리시겠지만 홈즈 씨, 솔직히 찰스 경은 자신의 가문을 둘러싼 끔찍한 운명을 믿고 말았습니다. 조상에게 물려받은 그 기록도 찰스 경에게는 위안이 되지 못했습니다. 무시무시한 존재가 있다는 생각이 끊임없이 경을 괴롭혔기 때문에 제가 밤에 왕진을 다닐 때 이상한 물체를 보거나 사냥개 짖는 소리를 들은 적이 있냐고 자주 묻곤 했습니다. 그 질문을 할 때면 찰스 경의 목소리는 공포로 떨렸죠.

사건이 일어나기 3주 전쯤 밤에 찰스 경의 저택으로 마차를 몰고 갔을 때가 생생하게 떠오르는군요. 경은 저택 현관문 근처에 있었어요. 제가 마차에서 내려 경의 앞으로 다가가 찰스 경의 눈을 봤는데, 찰스 경은 끔찍한 공포에 사로잡힌 눈으로 제 어깨너머의 뭔가를 응시하고 있었습니다. 제가 재빨리 몸을 돌려 뭔가 하고 봤더니 커다란 검은색 송아지 같은 것이 진입로 앞을 지나고 있었어요. 찰스 경이 너무 놀라고 겁을 먹어서 제가 그 짐승이 있던 곳으로 달려가서 둘러보기까지 했습니다. 하지만 놈은 이미 어디론가 사라진 뒤였죠. 찰스 경은 이 사건으로 엄청난 충격을 받았습니다. 그날 밤 제가 찰스 경과 함께 있어야 했는데, 찰스 경은 자신이 왜 그랬는지를 설명하고 제가 처음에 읽어드린 그 이야기가 담긴 문서를 저에게 맡겼습니다. 제가 이 말씀을 드리는 이유는 이것이 그다음에 벌어

진 비극적인 사건과 어떤 연관성이 있다고 생각하기 때문입니다. 하지만 분명히 말씀드리지만 그날 밤 나타났던 동물은 별거 아닌 하찮은 동물이었고, 찰스 경이 그렇게 놀랄 만한 일은 아니었습니다.

찰스 경이 런던에 가려고 한 것도 제가 조언을 했기 때문입니다. 심장에 이상이 있기도 했고, 그 이야기가 근거가 없다고는 하지만 경이 생활하는 내내 불안감을 느꼈기 때문에 분명 건강에 악영향을 끼치고 있었거든요. 그래서 도시의 번잡함

속에서 몇 달 보내면 좋아질 거라고 생각했죠. 친구인 스테이플턴 씨도 찰스 경의 건강을 무척 염려했던 터라 저의 의견에 동의했습니다. 그런데 런던으로 떠나기 바로 전날 밤에 이런 비극이 생기고 말았습니다.

찰스 경이 죽은 그날 밤 집사인 배리모어는 시체를 발견하고 마부 퍼킨스를 말에 태워 제게 보냈어요. 저는 그때까지 잠들지 않고 있었기 때문에 사건 발생 후 한 시간도 안 돼 바스커빌 저택에 도착할 수 있었습니다. 거기서 경찰 조사에서 언급된 모든 단서들을 조사하고 확인했습니다. 발자국을 따라 산책로로 갔고, 경이 잠깐 멈추었던 것으로 추정되는 황야로 나가는 문도 확인했고, 그곳에서부터 발자국이 바뀌었다는 점에도 주목했죠. 부드러운 자갈흙이 깔린 그 길에 찍힌 집사 배리모어의 발자국을 제외하고 다른 사람의 발자국은 없었다는 사실도 기록했습니다. 그러고 나서 드디어 조심스럽게 찰스 경의 시신을 조사했습니다. 제가 오기 전까지 시신에 손을 댄 사람은 아무도 없었습니다. 찰스 경은 엎드려 있었는데, 팔은 옆으로 나와 있었고 손가락은 땅을 파고 들어가 있었습니다. 얼굴은 제가 찰스 경이 맞는지 확신하기 힘들 정도로 어떤 심한 고통에 의해 일그러진 상태였죠. 그런데 경찰 조사에서 배리모어가 한 가지 잘못 진술한 부분이 있습니다. 배리모어는 시신 주변에서 그 어떤 다른 흔적도 보지 못했다고 진술했어요. 아무것도 발견하지 못했다고요. 그러나 저는 시신에서 약간 떨어진 곳에서 처음 보는, 그러나 분명한 흔적을 발견했습니다."

"발자국이오?"

"네, 발자국이요."

"남자 것이었나요? 아니면 여자?"

모티머 씨는 약간 어색한 눈빛으로 잠시 우리를 바라봤다. 그러더니 거의 속삭이듯이 대답했다.

"홈즈 씨, 그것은 거대한 사냥개 발자국이었습니다."

3
문제

그 말을 듣는 순간 온몸이 부르르 떨렸다. 모티머 씨의 목소리에는 우리에게 한 얘기를 본인 스스로가 깊이 믿고 있다는 것을 보여주는 오싹함이 담겨 있었다. 홈즈는 흥분해서 몸을 앞으로 숙였다. 눈은 강렬하고 매섭게 빛났는데, 그것은 홈즈가 무언가에 매우 흥미를 느꼈을 때 나타나는 눈빛이었다.

"확실한가요?"

"제가 두 눈으로 똑똑히 봤습니다."

"그런데 아무에게도 얘기하지 않았다고요?"

"어떻게 얘기하겠어요?"

"다른 사람은 왜 그걸 보지 못했죠?"

"그 발자국은 시신에서 약 20미터쯤 떨어져 있었어요. 아무도 거기까지 볼 생각은 못 한 거죠. 저도 그 전설을 몰랐다면 아마 그랬을 겁니다."

"황야에는 양치기 개가 많이 있지 않나요?"

"많이 있죠. 그렇지만 그건 분명 양치기 개의 발자국이 아니었습니다."

"아주 컸다고요?"

"무척 컸습니다."

"그 발자국이 시체에 접근한 흔적은 없었고요?"

"네."

"그날 날씨는 어땠나요?"

"습기가 차고 냉랭했어요."

"비는 오지 않았고요?"

"네."

"산책로는 어떤 모양이죠?"

"양쪽으로 주목나무 울타리가 있어요. 약 3.5미터쯤 되는 높은 울타리라 외부에서 들어오기는 힘들어요. 가운데 있는 산책로는 폭이 2.5미터쯤 됩니다."

"울타리와 산책로 사이에는 뭐가 있나요?"

"양쪽에 폭이 2미터쯤 되는 풀밭이 있습니다."

"주목나무 울타리는 문이 딱 한 곳만 있고요?"

"네, 황야로 나가는 문이죠."

"혹시 다른 문은 없나요?"

"전혀 없습니다."

"그렇다면 그 산책로에 접근하기 위해서는 저택에서부터 내려가거나 아니면 그 황야로 나가는 문으로 들어와야 하는군요?"

"산책로가 끝나는 곳에 여름 별장에서 들어오는 문이 하나 있습니다."

"찰스 경이 거기에 있었나요?"

"아뇨, 경의 시신은 그 문까지 50미터쯤 남은 곳에서 발견됐습니다."

"모티머 씨, 지금부터 매우 중요한 질문입니다. 보셨다는 발자국이 산책로에 있었나요? 풀밭이 아니고?"

"풀밭에는 어떤 발자국도 없었습니다."

"그 발자국은 산책로에서 황야로 나가는 문 쪽 방향에 있었나요?"

"네, 황야로 나가는 문이 있는 쪽의 산책로 가장자리를 따라나 있었습니다."

"이거 정말 흥미롭군요. 자, 또 다른 중요한 질문입니다. 그 문은 닫혀 있었나요?"

"닫혀 있었고 자물쇠도 채워져 있었습니다."

"높이가 얼마나 되나요?"

"한 1미터쯤 됩니다."

"누구나 쉽게 넘어올 수 있겠군요?"

"그렇죠."

"그럼 그 문 부근에서 무슨 흔적이라도 발견했나요?"

"특별한 건 없었습니다."

"오, 이런! 아무도 확인하지 못한 건가요?"

"아니오, 제가 직접 확인했습니다."

"아무것도 없었나요?"

"사실 뭔가 혼란스럽습니다. 찰스 경은 분명히 5~10분 정도 그곳에 서 있었거든요."

"그걸 어떻게 아세요?"

"경의 시가에서 떨어진 재가 바닥에 있었습니다."

"훌륭하군요. 왓슨, 이분은 마치 우리 동료 같아. 우리 방법을 금방 배우셨군. 그런데 발자국은요?"

"찰스 경은 그 자갈흙 위 모든 곳에 발자국을 남겼어요. 경의 발자국 외에 다른 발자국은 없었고요."

홈즈는 참을 수 없다는 듯이 손으로 무릎을 쳤다.

"내가 거기 있었어야 했는데!" 홈즈가 소리쳤다. "이건 정말 매우 흥미로운 사건이군. 전문가에겐 엄청난 기회를 주는 사건이야. 그 자갈흙 길을 내가 봤더라면 정말 많은 것을 알아낼 수 있었을 텐데. 이미 시간이 너무 지나버렸어. 비에 씻겨나가고 호기심 어린 농부들의 방문으로 현장이 훼손됐겠지. 모티머 씨, 왜 바로 저에게 연락하지 않았습니까? 이유가 정말 궁금하군요."

"이런 모든 사실들을 세상에 알리지 않고서는 홈즈 씨를 부를 수가 없었습니다. 이미 말씀드렸듯이 전 이런 일들이 일반에 공개되기를 원하지 않았습니다. 게다가, 게다가…."

"뭘 망설이시죠?"

"가장 날카롭고 경험 많은 탐정도 도움이 되지 않는 영역이 있습니다."

"초자연적인 현상을 말씀하시는 건가요?"

"반드시 그걸 얘기하는 것만은 아닙니다."

"하지만 분명히 그걸 생각하고 계셨잖아요."

"홈즈 씨, 그 비극적인 전설 이후 저는 일반적인 자연법칙으로는 이해되지 않는 여러 사건에 대한 얘기를 들었습니다."

"예를 들면요?"

"찰스 경이 사망하기 전에 몇몇 사람들이 바스커빌의 전설에 나오는 사냥개와 유사한 생명체를 황야에서 목격한 적이 있습니다. 그것은 분명 과학적으로 밝혀진 일반 동물이 아니었어요. 목격자들은 모두 그것이 매우 크고, 밤에도 빛이 나며,

유령처럼 무시무시했다고 진술했습니다. 저는 이들 중 순박한 지역주민, 수의사, 황야에 사는 농부 등 세 사람을 비교 조사했는데, 이들은 모두 그 무시무시한 생명체가 전설에 나오는 지옥의 사냥개와 정확하게 일치했다고 한결같이 주장했습니다. 말씀드렸듯이 그 지역에는 공포의 전설이 알려진 시대가 있었습니다. 때문에 밤에 황야를 지나는 사람은 보기 어렵습니다."

"모티머 씨는요? 과학을 배우신 분이 그런 초자연적 현상을 믿으십니까?"

"이제는 뭘 믿어야 할지 모르겠습니다."

홈즈는 어이없다는 듯 어깨를 으쓱하더니 말했다. "지금까지 저는 제가 조사하는 사건의 범위를 이 현실 세계로 한정하고 있습니다. 제 나름의 방법으로 악당들과 싸워왔죠. 그런데 진짜 악마와 싸우는 것은 아무래도 너무 지나친 일인 것 같습니다. 그러니 그 발자국이 분명 현실에 존재하는 것이라고 얘기해주세요."

"그 이야기 속의 사냥개는 사람의 목덜미를 물어뜯었다는 것에서 알 수 있듯이 실제 존재했습니다. 하지만 동시에 악마적 존재였습니다."

"초자연적인 것에 대해 지나치게 관심을 가지고 계시군요. 아무튼 알겠습니다. 그런데 모티머 씨, 그런 생각이라면 도대체 왜 저에게 상담을 하러 오셨습니까? 찰스 경의 죽음에 대해 조사하는 것은 소용없는 짓이라고 얘기하시면서, 동시에 제가 조사해주기를 원하신다는 말씀인가요?"

"홈즈 씨에게 그 사건을 조사해달라고 말한 적이 없습니다."

"그럼, 저에게 뭘 바라시는 거죠?"

"이제 곧 워털루 역에 도착하는 헨리 바스커빌 경에게 제가 어떻게 해야 할지 조언을 부탁드립니다." 모티머 씨는 시계를 보면서 다시 말했다. "정확히 1시간 15분 후에 도착합니다."

"그가 상속자인가요?"

"그렇습니다. 찰스 경이 사망한 후 캐나다에서 농사를 짓고 있던 이 젊은 상속자를 찾았습니다. 지금까지 우리가 조사한 바에 따르면 헨리 경은 모든 면에서 매우 뛰어난 인물입니다. 저는 지금 의사로서가 아니라 찰스 경의 유산 집행인이자 재산 관리인으로서 말씀드리는 겁니다."

"또 다른 상속자는 없는 것이 분명합니까?"

"없습니다. 우리가 찾을 수 있었던 유일한 친척은 로저 바스커빌 씨였습니다. 사망한 찰스 경이 삼 형제 중 장남이었고 로저 씨가 막내입니다. 둘째 동생은 헨리 경만을 남겨두고 젊은 나이에 일찍 죽었습니다. 막내인 로저 씨는 가문의 골칫덩어리였습니다. 옛 바스커빌 가문의 오만함을 그대로 물려받았지요. 주변 사람들의 말에 따르면 가족 초상화에 나오는 휴고 바스커빌과 무척 닮았다고 하더군요. 로저 씨는 사고를 쳐서 영국에는 있을 수 없어 남아메리카로 이주했고, 그곳에서 1876년에 황열병으로 죽었습니다. 헨리 경이 마지막 남은 바스커빌 가문의 사람입니다. 1시간 5분 후에 워털루 역에서 만날 예정이고요. 사우샘프턴 역에 오늘 아침 도착했다는 전보를 받았습니다. 자, 홈즈 씨, 제가 그분에게 뭐라고 해야 할까요?"

"왜 그가 찰스 경의 저택에 가는 것을 막으려고 하시죠?"

"너무 당연한 얘기 아닌가요? 그리고 생각해보세요. 그 저택에 갔던 바스커빌가의 사람들은 모두 끔찍한 죽음을 당했습니다. 만약 찰스 경이 죽기 전에 헨리 경을 저택으로 데려오는 문제를 상의했다면, 찰스 경은 가문에 마지막 남은 자손이자 막대한 재산의 상속자를 죽음의 저택으로 데려오는 것에 반대했으리라고 저는 확신합니다. 하지만 가난하고 비참한 그 지역의 발전이 순전히 헨리 경의 손에 달려 있다는 사실도 부인할 수 없습니다. 찰스 경이 추진했던 모든 지역 발전 사업은 헨리 경이 오지 않으면 무산될 처지입니다. 저는 이 문제에 있어서 저의 개인적인 지나친 걱정 때문에 판단을 제대로 내리지 못할까봐 걱정입니다. 그래서 이 문제를 홈즈 씨에게 가져왔고, 이렇게 조언을 구하는 것입니다."

홈즈는 잠시 생각하다 입을 열었다.

"이 문제를 좀 단순화해서 보면, 모티머 씨는 저택이 있는 다트무어에는 어떤 사악한 힘이 있어서 바스커빌 사람이 거주하기에는 안전하지 않다, 이 말씀이신가요?"

"그럴 수도 있다는 몇몇 증거들이 발견되었기 때문입니다."

"제 말이 맞군요. 그런데 만약 선생이 주장하는 그 초자연적인 현상이 사실이라면, 그 젊은 상속자가 런던에 있거나 저택에 있거나 위험하기는 마찬가지일 겁니다. 사악한 힘이 지역 교회 위원처럼 지역 내에서만 힘을 발휘하지는 않을 테니까요."

"홈즈 씨, 문제를 너무 가볍게 보시는군요. 저는 홈즈 씨가 제 입장이라면 이런 문제를 만났을 때 어떻게 하셨을지 듣고 싶었습니다. 제가 이해한 바로는 홈즈 씨의 얘기대로라면, 이 젊은 상속자는 저택에서도, 런던에 있을 때처럼 안전할 거라는 말씀인가요? 이제 헨리 경이 도착하기까지 50분 남았습니다. 제가 어떻게 했으면 좋겠습니까?"

"모티머 씨, 우선 마차를 부르고, 저 개가 저희 집 현관문을 그만 긁도록 해주세요. 그리고 워털루 역으로 가서 헨리 바스커빌 경을 만나세요."

"그런 후에는요?"

"그러고 나서 이 문제에 대해 제가 어떻게 할지 결정할 때까지 헨리 경에게는 아무 말도 하지 마십시오."

"결정하시는 데 얼마나 걸릴까요?"

"하루면 됩니다, 모티머 씨. 그리고 내일 10시에 여기로 다시 와주시면 감사하겠습니다. 특히 헨리 바스커빌 경을 데리고 오신다면 향후 계획을 세우는 데 큰 도움이 될 것 같습니다."

"그렇게 하겠습니다, 홈즈 씨." 모티머 씨는 약속을 자신의 셔츠 소매에 기록하고는 이상하고 산만한 차림새 그대로 서둘러 나갔다. 홈즈가 모티머 씨를 계단에서 불러 세웠다.

"한 가지 질문이 더 있습니다, 모티머 씨. 찰스 경이 죽기 전에 여러 사람이 황야에서 그 괴생명체를 봤다고 하셨죠?"

"세 사람이 봤습니다."

"사건 이후에는 본 사람이 있나요?"

"그런 얘기는 못 들었습니다."

"알겠습니다. 조심해서 가세요."

홈즈는 만족스러운 표정으로 의자에 다시 앉았다. 뭔가 기분 좋은 일이 있다는 것을 의미한다.

"나갈 건가, 왓슨?"

"도울 일이 없다면."

"아닐세, 친구. 이제야말로 내가 자네에게 도움을 요청할 시간이네. 몇 가지 부분에서 이 사건은 정말 멋지고 독특하군. 자네, 브래들리 가게를 지날 때 그에게 최고로 강력한 살담배

450그램을 나에게 배달하라고 전해주겠나? 고맙군. 그리고 상황을 봐서 저녁때까지 어디서 시간을 보내고 온다면 그것도 좋을 것 같아. 그동안 나는 오늘 아침 우리를 찾아온 이 흥미진진한 사건에 관한 여러 가지 면들을 비교해보겠네."

나는 홈즈가 정신을 완전히 집중하기 위해서는 이런 격리와 혼자만의 시간이 절대적으로 필요하다는 것을 잘 알고 있었다. 그 시간 동안 홈즈는 증거의 모든 세세한 부분을 점검하고, 사건을 재구성하고, 각 단서 간의 균형을 맞추고, 핵심은 무엇이고 중요하지 않은 것은 무엇인지 결정할 것이다. 나는 클럽에 하루 종일 있으면서 밤이 될 때까지 베이커 스트리트로 돌아가지 않았다. 홈즈의 집으로 다시 돌아온 것은 거의 밤 9시가 다 되어서였다. 방문을 열었을 때 나는 방 안에 가득 찬 연기에 가려 탁자 위의 등잔 불빛이 흐릿해진 것을 보고 불이 난 줄 알았다. 하지만 방으로 들어서자 그런 걱정은 사라졌다. 그것은 질 나쁜 싸구려 담배에서 나는 독한 연기 때문이었다. 목이 칼칼해지고 기침이 났다. 연기를 뚫고 안으로 들어서자 홈즈의 모습이 흐릿하게 보였다. 홈즈는 가운을 입고 안락의자에 앉아 검은색 담배 파이프를 물고 있었다. 주변에는 여러 장의 종이가 놓여 있었다.

"감기 걸렸나, 왓슨?" 홈즈가 물었다.

"아니, 이 지독한 연기 때문일세."

"자네 말대로 제법 독하긴 하군."

"독하다고? 이건 견딜 수 없을 정도네."

"그럼 창문을 열게! 자네 하루 종일 클럽에 있었군."

"역시 자네답군."

"내 말이 맞지?"

"정확해. 그런데 어떻게?"

홈즈는 내 당황한 표정을 보고 크게 웃었다. "왓슨, 자네는 볼수록 재미가 있어. 내 추리력을 자네에게 사용하면 언제나 즐거움을 주거든. 이렇게 비 오는 질퍽한 날에 양복 입은 신사가 밖에 나갔다 밤늦게 돌아왔는데 모자나 구두에 얼룩 하나 없이 깨끗하다면, 하루 종일 실내에 머문 것이 분명하지. 더구나 가까운 친구도 많지 않은 사람이면 더욱 그렇지. 그렇다면 그 신사가 어디에 있었겠나? 분명하지 않나?"

"그렇군. 무척 명확해."

"이 세상은 분명한 것들로 가득 차 있지만 아무도 그것을 관찰하지 않을 뿐이야. 나는 어디에 있었다고 생각하나?"

"자네도 하루 종일 여기 있었군."

"아니, 난 데번셔에 갔었어."

"마음속으로?"

"그렇지. 유감스럽게도 내 몸은 이 안락의자에 앉아 있었네. 큰 주전자 두 개 분량의 커피를 비우고 엄청난 양의 담배를 피우면서 말이야. 자네가 나간 후 스탬퍼드 가게에 가서 황야 부분이 나온 정밀 지도를 샀다네. 내 영혼은 황야에 가서 하루 종일 서성였지. 내가 발견한 것에 우쭐해하면서."

"분명 대축척 지도겠군?"

"아주 큰 지도라네."

홈즈는 지도의 한 부분을 펼쳐 무릎 위에 놓았다. "여기가 바로 우리가 주목하는 특별한 지역일세, 여기 중앙에 있는 것은 바스커빌 저택이고."

"숲으로 둘러싸여 있는 곳?"

"그렇지. 지도에는 안 나오지만 주목나무 산책로를 상상해 보았어. 황야는 분명 이 선을 따라 이렇게 이어져 있을 거야. 그렇다면 자네가 보듯이 황야는 산책로의 오른편에 있는 거지. 여기 이 작은 덤불숲이 우리의 친구 모티머 씨의 주거지가 있는 그림펜 마을일세. 여기 보이듯이 반경 8킬로미터 안에는 겨우 몇 개의 집들만 흩어져 있네. 여기가 래프터 저택이네. 내 기억이 맞다면 여기에 표시된 곳이 박물학자 스테이플턴의 거주지고. 여기가 황야에 있는 두 채의 농가, 하이 토어와 파울마이어네 집이지. 그리고 약 20킬로미터 떨어진 곳에 프린스타운의 중범죄자 감옥이 있어. 여기 흩어져 있는 점들과 그 사이를 연장하면 사람이 살지 않는 황야라네. 그리고 여기가 바로 비극이 벌어진 무대지. 어쩌면 우리가 그 사건이 다시 재연되도록 거들어야 하는 곳이기도 하고."

"무척 험악한 곳이겠군."

"맞아. 장소는 그럴듯해. 만약 악마가 인간의 일에 관여하고 싶어 한다면 최적의 무대지."

"그럼 자네도 그 초자연 현상 이론에 동조한다는 말인가?"

"악마의 하수인은 아마도 사람일 거야, 안 그렇겠나? 우선 두 가지 의문이 우리 앞에 놓여 있네. 첫 번째, 도대체 범죄가 일어나기는 했는가, 두 번째는 어떤 범죄이고 어떻게 일어났는가일세. 물론 모티머 씨의 추측이 맞다면, 그래서 우리가 지금 일반적인 자연법칙을 벗어난 어떤 초자연적인 힘을 찾는 거라면 우리의 조사는 이것으로 끝이네. 그러나 그런 결론을 내리기 전에 다른 모든 가설을 검증해야 해. 내 생각엔 창문을 다시 닫는 게 좋겠군, 자네만 괜찮다면 말이야. 간단한 것이지만 생각에 집중하기 위해서는 주변 분위기도 집중하기 좋게 만드는 것이 도움이 되거든. 아직까지 생각을 많이 좁히지는 못했지만 이것이 내 추리가 내린 합리적인 결론일세. 자네도 이 사건을 생각해봤지?"

"그럼. 오늘 하루 동안 아주 많은 것을 생각했지."

"그래, 뭘 알아냈나?"

"도무지 갈피를 못 잡겠어."

"확실히 이 사건만의 독특한 측면이 있긴 해. 다른 사건과 구별되는 면이지. 발자국의 변화 같은 것 말이야. 그걸 어떻게 생각하나?"

"모티머 씨는 찰스 경이 산책로의 특정 부분에서 발끝으로 걸었다고 얘기했잖아."

"그는 단지 어떤 멍청이가 경찰 조사에서 한 말을 옮겼을 뿐이야. 왜 발끝으로 산책로를 걸었겠나?"

"왜 그랬을까?"

"찰스 경은 도망치고 있었다네, 왓슨. 필사적으로 도망치고 있었지. 살기 위해서 심장이 터질 정도로. 그러고는 결국 엎어져 숨진 거야."

"무엇으로부터 도망쳤단 말인가?"

"그게 우리가 해결해야 할 문제야. 찰스 경이 도망치기 직전에 엄청난 공포에 사로잡혔다는 단서가 있어."

"그걸 어떻게 알 수 있지?"

"찰스 경을 공포에 떨게 한 것은 아마 황야를 건너왔을 거야. 그런데 저택을 향해서가 아니라 오히려 저택을 등지고 도망친 것으로 보아, 당시 이미 이성을 잃었을 가능성이 매우 높아. 만약 그 집시의 증언이 사실이라면 찰스 경은 도와줄 사람이 아무도 없는 곳을 향해 도와달라고 소리치면서 달려간 것이네. 그렇다면 다시, 찰스 경은 그날 밤 누구를 기다리고 있었던 걸까? 왜 자신의 집이 아니라 그 주목나무 산책로에서 기다렸을까?"

"자네는 경이 누군가를 기다렸다고 생각하는 건가?"

"찰스 경은 나이가 많고 기력이 쇠한 노인이었네. 밤에 산책을 나갔다는 것은 이해할 수 있지만 그날 밤은 땅이 질퍽하고 추웠지. 모티머 씨가 담뱃재를 보고 추리한 것처럼 그런 날씨에 찰스 경이 할 일 없이 5~10분가량 그냥 서 있었다는 얘기는 논리적으로 어폐가 있지 않은가?"

"하지만 찰스 경은 매일 밤 산책을 나갔잖은가?"

"내 생각에 찰스 경이 매일 밤 황야로 나가는 문에서 잠깐 쉬었을 것 같지는 않아. 증거들을 보면 오히려 찰스 경은 황야를 피하려 했지. 그런데 그날 밤에는 거기에 있었네. 그날은 찰스 경이 런던으로 떠나기 전날 밤이었어. 사건이 점점 명확해지는군. 앞뒤가 들어맞아 가고 있어. 왓슨, 내 바이올린을 좀 주겠나? 그리고 이 사건에 대한 나머지 얘기는 내일 아침 모티머 씨와 헨리 경을 만날 때까지 연기하는 게 어떨까?"

4
헨리 바스커빌 경

우리는 아침 일찍 식사를 마쳤다. 홈즈는 가운을 입은 채 시간이 되기를 기다렸다. 우리의 고객은 정확히 약속한 시각에 등장했다. 시계가 10시를 가리키자 모티머 씨가 나타났고, 이어 젊은 준남작이 따라 들어왔다. 30대의 검은 눈을 가진 헨리 경은 키가 작고 민첩해 보였다. 짙은 검은색 눈썹과 무척 다부진 몸매에 강하고 도전적인 얼굴이었다. 빨간 트위드 양복을 입었는데, 많은 시간을 야외에서 보내는 사람처럼 햇살에 그을린 모습이었다. 그렇지만 안정된 눈빛과 은근히 배어 나오는 자신감 넘치는 태도는 그가 신사라는 사실을 분명하게 보여주었다.

"이분이 헨리 바스커빌 경입니다." 모티머 씨가 그 젊은 남자를 소개했다.

"네, 제가 헨리입니다." 헨리 경이 인사했다. "홈즈 씨, 여기 모티머 선생이 만약 저에게 오늘 아침 여기 오자고 하지 않았다면 저 혼자라도 왔을 겁니다. 우연치고는 참. 홈즈 씨가 그 사건의 수수께끼를 풀기 위해 고민하고 있는 것으로 알고 있는데요, 오늘 아침 저도 이해하기 힘든 일이 하나 있었습니다."

"우선 자리에 앉으시죠, 헨리 경. 지금 하신 얘기는 런던에 도착하신 이후 뭔가 주목할 만한 일이 있었다는 것처럼 들리는군요."

"대단히 중요한 일은 아닙니다, 홈즈 씨. 가벼운 장난 정도죠. 아닐 수도 있고요. 이걸 편지라고 할 수 있을지 모르겠지만, 오늘 아침 이 편지를 받았습니다."

헨리 경은 편지를 테이블 위해 펼쳐놓았다. 우리 모두 그 편지를 살펴봤다. 평범한 종이의 회색 봉투였다. '헨리 바스커빌 경, 노섬벌랜드 호텔'이라는 주소가 휘갈긴 글씨체로 쓰여 있었고, 우체국 소인은 '채링 크로스'였다. 발송 날짜는 전날 밤이었다.

"헨리 경이 노섬벌랜드 호텔로 갈 거라는 사실을 아는 사람이 누가 있었을까요?" 홈즈가 날카로운 눈빛으로 방문자들을 바라봤다.

"아무도 알 수 있는 사람이 없었습니다. 모티머 선생을 만나고 나서 거기로 가기로 결정했거든요."

"하지만 모티머 씨는 이미 호텔에 머물고 계셨죠?"

"아닙니다. 저는 친구네 집에 머물고 있었습니다." 모티머 씨가 대답했다.

"우리가 그 호텔로 갈 것이라고 생각할 만한 그 어떤 조짐도 없었습니다."

"음…. 누군가 경의 움직임에 아주 깊은 관심을 가지고 있군요." 홈즈는 책 크기의 절반 정도 되는, 네 번 접힌 그 종이를 봉투에서 꺼내 테이블 위에 펼쳤다. 종이 한가운데에 인쇄된 단어를 조각조각 오려 붙여 만든 단 한 줄의 문장이 있었다.

삶이나 이성의 가치를 믿는다면 황야에서 멀어져라.

오직 '황야'라는 글자만 손으로 쓰였다.

"이제 홈즈 씨가 대답하실 차례인 것 같습니다." 헨리 경이 말을 꺼냈다. "홈즈 씨, 이 협박 편지는 무엇을 의미하는 걸까요? 그리고 누가 이렇게 제 일에 관심이 많을까요?"

"모티머 씨는 어떻게 생각하십니까? 이 사건과 관련해서 적어도 초자연적인 현상 따위는 없다는 것을 인정하시겠지요?"

"그럼요, 홈즈 씨. 하지만 이 편지는 그 사건이 초자연적인 현상이라고 확신하는 사람으로부터 온 것 같군요."

"무슨 사건이죠?" 헨리 경이 날카롭게 물었다. "제가 보기에 여기 계신 모든 분은 제 일에 대해 제가 아는 것보다 훨씬 많은 것을 알고 계신 것 같군요."

"헨리 경이 이 방을 떠나기 전에 우리가 알고 있는 모든 것을 알게 될 것입니다. 제가 약속하지요." 홈즈가 대답했다. "헨리 경이 허락하신다면 지금은 이 흥미로운 편지에만 집중했으면 합니다. 어젯밤 저녁에 작성해서 발송한 것 같군요. 왓슨, 어제 날짜 〈타임스〉 신문 있나?"

"여기 있네."

"부탁을 좀 해야 할 것 같군. 안쪽 페이지의 사설 좀 줘보게나." 홈즈는 눈을 위아래로 굴리면서 사설을 빠르게 살펴봤다. "자유 무역에 관한 이 금융 기사, 제가 여러분께 일부분을 읽어드리겠습니다.

> 보호관세로 인해 우리나라의 산업이나 특별한 무역 거래가 더 활성화될 것이라고 믿는 것 같다. 그러나 긴 이성적 안목에서 보면 그런 규제가 국가를 성장에서 멀어지게 하고 수입품의 가치를 떨어뜨려 영국 국민의 보편적인 삶의 형편을 어렵게 만든다.

왓슨 어떻게 생각하나?" 홈즈는 신난 얼굴로 만족스럽게 양손을 비비면서 소리쳤다. "훌륭한 의견이라고 생각하지 않나?"

모티머 씨는 전문가적 관심을 보이면서 홈즈를 쳐다봤다. 헨리 경은 의문이 가득한 눈으로 홈즈를 바라봤다.

"저는 관세나 그와 비슷한 종류에 대해 아는 것이 많지 않습니다. 그런데 제가 보기에 그 기사가 문제라면 우리가 지금까지 얘기했던 것에서 약간 벗어난 것 같군요." 헨리 경이 끼어들었다.

"그 반대입니다, 헨리 경. 제 생각에 우리가 이제 구체적인 추적에 나선 것 같습니다. 여기 왓슨은 경이 하신 것보다 제 추리방법에 대해 더 많이 알고 있는데, 안타깝게도 왓슨조차 이 기사의 중요성을 완전히 파악하지 못한 것 같군요."

"맞아. 그 어떤 연관성도 찾지 못하겠어."

"하지만 왓슨, 기사에서 단어를 추출하면 아주 깊은 연관성을 발견할 수 있다네. '삶', '이성', '가치', '멀어져라'. 이제 이 단어들이 어디서 나왔는지 알겠나?"

"아, 그렇군요! 홈즈 씨 말이 정말 맞네요. 그들이 그렇게 영악하지는 않군요." 헨리 경이 소리쳤다.

"아직도 의심이 된다면, '멀어져라'와 '믿는다면'이 같은 부분에서 잘려 나온 것을 보면 확실해질 겁니다."

"어디, 아! 정말 그렇군요!"

"홈즈 씨는 정말 제가 상상했던 것보다 훨씬 더 뛰어나십니다." 모티머 씨가 놀라운 얼굴로 홈즈를 바라보며 감탄했다.

"그 글자들을 신문에서 오렸다는 얘기는 이해가 갑니다. 하지만 어떤 신문인지, 또 그 단어들이 사설에 나왔는지를 어떻게 아셨죠? 이건 정말 제가 지금까지 알고 있던 얘기 중에서도 가장 놀라운 것 중 하나입니다."

"모티머 씨는 흑인의 두개골과 에스키모의 두개골을 구별하실 수 있으시죠?"

"당연하죠."

"어떻게 아시죠?"

"그거야 제 특별한 취미니까요. 둘 사이의 차이가 분명합니다. 눈구멍 위의 각도, 안면각, 상악골의 곡선, 또…."

"그것처럼 이 분야는 저의 특별한 취미입니다. 차이점도 똑같이 분명하고요. 제 눈에는 중산층이 읽는 신문 기사의 활자와 조악하게 만들어져 저녁에 1/2페니에 팔리는 신문 기사의 활자는 흑인과 에스키모의 두개골 차이만큼이나 분명해 보입니다. 이런 종류의 발견은 범죄 전문가들의 능력 중에서 가장 기본적인 것입니다. 사실 저는 아주 어렸을 때 〈리즈 머큐리〉와 〈웨스턴 모닝 신문〉을 구별하지 못했습니다. 그러나 〈타임스〉 독자라면 충분히 구별 가능하죠. 그리고 이런 단어들은 그 외 다른 신문에서 가져올 수 있는 게 아닙니다. 이 편지는 어제 만들었을 가능성이 매우 높기 때문에, 어제 신문의 기사 중에서 찾은 거죠."

"무슨 말씀인지 알겠습니다, 홈즈 씨." 헨리 경이 물었다. "그럼 누군가 이 단어들을 가위로 오려서 붙였다는 얘기시군요?"

"미용 가위죠." 홈즈가 대답했다. "여기를 보면 날이 짧은 가위라는 것을 알 수 있습니다. '멀어져라'라는 단어를 자를 때는 가위질을 두 번 했거든요."

"정말 그렇군요. 그렇다면 누군가가 미용 가위로 이 단어들을 오려서 풀로 붙였다?"

"고무풀로요." 홈즈가 정정했다.

"고무풀로 종이 위에 붙였다? 그런데 왜 '황야'라는 단어는 굳이 손으로 썼을까요?"

"인쇄된 글자를 찾을 수 없었기 때문이죠. 다른 글자들은 모두 단순하기 때문에 다른 기사에서도 찾을 수 있었을 겁니다. 하지만 '황야'라는 단어는 자주 쓰이는 단어가 아니죠."

"아, 그렇게 설명이 되는군요. 이 메시지에서 또 다른 어떤 의미를 찾으셨나요, 홈즈 씨?"

"한두 개의 단서는 있습니다만, 흔적을 감추려고 엄청나게 수고를 한 것 같습니다. 그 주소 말입니다. 휘갈긴 필기체로 겉면에 쓰여 있던 주소요. 〈타임스〉는 아무나 보는 신문이 아니고 교육 수준이 높은 사람들이 보는 겁니다. 따라서 그 편지는 교육 수준이 높은 사람이 그렇지 않은 것처럼 보이려고 애를 쓰면서 만든 것으로 추정할 수 있습니다. 그리고 자신의 글씨체를 숨기려고 노력한 것으로 보아 그 글씨체는 헨리 경이 알거나 알 수 있는 것일 겁니다. 다시 한 번 보시면 아시겠지만 특정 단어는 정확한 줄에 붙어 있지 않고, 어떤 것은 다른 단어에 비해 높은 위치에 있습니다. '삶'을 예로 들면 이것은 원래 자리를 훨씬 벗어나서 붙어 있습니다. 이것은 아마도 부주의했거나 편지를 만든 사람이 무척 불안해하고 서둘렀다는 것을 보여줍니다. 전반적으로 봤을 때 저는 후자 쪽입니다. 이 편지는 절대적으로 중요한데, 그런 편지의 제작자가 부주의한 사람이라고는 생각되지 않기 때문이죠. 만약 편지의 제작자가 서둘렀다면 왜 서둘러야만 했는지 흥미로운 의문이 생기는데, 그건 아침 일찍 편지를 보내야 헨리 경이 호텔을 떠나기 전에 받을 수 있기 때문입니다. 그렇다면 편지 제작자는 편지를 쓸 때 누군가로부터 방해받을까 봐 걱정을 했을까요? 방해자는 누구였을까요?"

"이제 우리 모두 추측을 해야 하는 단계군요." 모티머 씨가 말했다.

"추측이라기보다 여러 가능성을 살펴보고 그중에서 가장 가능성이 높은 것을 선택하는 단계에 이른 거죠. 과학적으로 상상력을 사용하는 겁니다. 그러나 우리는 항상 추리의 기반이 되는 어떤 물질적인 단서가 있어야 합니다. 아마 이것도 추측이라고 할지 모르겠지만, 저는 그 주소가 호텔 안에서 쓰였다고 매우 강하게 믿고 있습니다."

"어떤 근거로 그렇게 볼 수 있죠?"

"자세히 살펴보면 아시겠지만 펜과 잉크가 글씨를 쓸 때 문제가 되었습니다. 펜은 한 단어를 쓰면서 두 번이나 잘못 긁혔고, 짧은 주소를 쓰는 데 세 번이나 잉크가 말랐습니다. 이건 병에 잉크가 거의 없었다는 걸 의미합니다. 개인용 펜이나 잉크는 그런 경우가 거의 없고, 특히 두 개가 동시에 문제가 되는 경우는 매우 드물죠. 하지만 호텔에 있는 잉크와 펜이라면 그럴 가능성이 높은 편입니다. 그래서 저는 조금의 망설임도 없이 말씀드릴 수 있습니다. 채링 크로스 근처 호텔들의 휴지통을 조사해 오려진 채 버려진 〈타임스〉 일부를 발견한다면, 이 단일 문장의 편지를 보낸 사람이 누구인지 금방 알아낼 수 있을 겁니다. 어, 어, 이건 뭐지?"

홈즈는 속으로 들어갈 듯이 바짝 눈앞에 편지를 들고 세밀하게 살펴봤다.

"뭐죠?"

"별거 아니네요." 홈즈가 편지를 내려놓으면서 대답했다. "아무런 비침 무늬도 없는 반 장짜리 종이네요. 제 생각엔 우리가 이 흥미로운 편지에 대해서는 살펴볼 만큼 본 것 같습니다. 헨리 경, 런던에 오신 이후 이것 외에 뭐 또 다른 흥미로운 사건은 없었나요?"

"없었습니다, 홈즈 씨."

"미행을 한 사람이나 지켜보는 사람은 못 보셨나요?"

"마치 제가 삼류 소설 속의 주인공

이 된 것 같군요. 왜 누군가 힘들게 저를 미행하거나 지켜봐야 한다고 생각하시죠?"

"그 얘기는 좀 이따 하시고, 이 문제를 좀 더 파고들기 전에 우리에게 알려주실 다른 내용은 없나요?"

"글쎄요. 홈즈 씨가 중요하게 생각하는 것이 무엇인지에 따라 다르겠죠."

"일반적인 생활 방식을 벗어난 것은 무엇이든 알려주실 필요가 있습니다."

헨리 경이 미소를 지었다. "저는 대부분의 시간을 미국과 캐나다에서 보냈기 때문에 아직 영국식 생활 방식에 대해 잘 모릅니다. 하지만 구두 한 짝을 잃어버린 것이 이곳에서도 일상적인 일은 아니겠죠?"

"구두 한 짝을 잃어버리셨다고요?"

"이런." 모티머 씨가 안타까운 듯 외쳤다. "어딘가 있겠죠. 호텔로 돌아가면 아마 찾을 수 있을 겁니다. 그런 사소한 일까지 홈즈 씨에게 부탁하셔서 뭘 하겠어요?"

"홈즈 씨가 일상적인 일에서 벗어난 일이 있냐고 물으시기에…."

"맞습니다." 홈즈가 대답했다. "어쩌면 단순한 일로 보일 수도 있지만, 구두 한 짝을 잃어버리셨다고요?"

"아마 어디다 잘못 둔 것 같아요. 어젯밤에 두 짝을 모두 문 밖에 두었는데, 아침에 보니 한 짝뿐이더군요. 구두를 닦은 녀석은 모른다는 얘기뿐이었습니다. 가장 아쉬운 점은 지난밤 스트랜드 거리에서 그 구두를 사기만 했고 아직 신어보지도 못했다는 겁니다."

"한 번도 신지 않았다면 왜 구두를 닦으라고 밖에 내놓으셨죠?"

"그 구두는 무두질을 한 것인데 한 번도 광을 내본 적이 없었어요. 그래서 밖에 내놨죠."

"그럼 어제 영국에 도착하자마자 외출해서 구두를 사셨다는 얘긴가요?"

"쇼핑을 많이 했습니다. 모티머 선생과 함께 다녔죠. 아시다시피 제가 지역의 대지주로 그곳에 내려가려면 거기에 맞게 옷을 입어야 합니다. 서부에 있을 때는 옷차림에 별로 신경을 안 썼거든요. 다른 것들과 함께 그 구두를 샀죠, 6달러를 주고요. 그런데 신어보기도 전에 한 짝을 잃어버렸네요."

"한 짝은 훔쳐봐야 소용도 없을 텐데요." 홈즈가 대답했다. "저도 모티머 씨처럼 잃어버린 구두를 찾는 데 오래 걸리지 않을 거라고 생각합니다."

"자, 이제 신사 여러분." 헨리 경이 결심한 듯 말을 꺼냈다. "저는 제가 알고 있는 모든 것을 충분히 말씀드린 것 같습니다. 이제 여러분이 아까 약속한 대로 지금 우리가 하고 있는 얘기가 모두 무엇 때문인지 말씀해주실 차례입니다."

"맞는 말씀입니다." 홈즈가 대답했다. "모티머 씨, 이제 선생이 우리에게 했던 그 이야기를 해야 할 시간인 것 같군요."

홈즈가 얘기를 하자 모티머 씨는 주머니에서 그 자료들을 꺼내 어제 아침 우리에게 한 것처럼 모든 것을 설명하기 시작했다. 헨리 바스커빌 경은 매우 주의 깊게 얘기를 들으면서 중간중간 놀라움의 감탄사를 내뱉었다.

"음, 제가 원한 맺힌 재산을 상속받는다는 것처럼 들리는군요." 모티머 씨의 긴 이야기가 끝나자 헨리 경이 말을 꺼냈다. "물론 저도 그 사냥개에 대한 얘기를 어린 시절부터 들었습니다. 그전에는 심각하게 받아들이지 않았기 때문에 그냥 집안의 애완견 얘기라고 생각했어요. 그런데 백부님이 사망하셨다니…. 음, 여러 가지 생각으로 머릿속이 복잡해지네요. 아직도 뭐가 뭔지 모르겠어요. 모티머 선생은 이 사건을 경찰에 의뢰할지 아니면 성직자에게 할지 아직 결정을 못 하신 것 같군요."

"맞습니다."

"그래서 이 편지가 호텔에 있는 저에게 배달된 거군요. 아주 제대로 찾아온 거네요."

"누군가 우리보다 황야에서 어떤 일이 있었는지 더 잘 아는 사람이 있는 것 같습니다." 모티머 씨가 한마디 했다.

"그리고 또." 홈즈가 입을 열었다. "그들은 헨리 경에 대해 나쁜 감정을 가지고 있는 건 아닙니다. 위험을 경고한 걸 보면."

"아니면, 저를 겁주어 쫓아내려는 자신들의 목적을 이루기 위한 것인지도 모르죠."

"물론 그것도 가능합니다. 저는 모티머 씨에게 무척 감사하고 있습니다. 여러 가지 흥미로운 요소가 있는 문제를 가지고 오셨으니까요. 그러나 우리가 지금 당장 결정해야 하는 실제적인 문제는 헨리 경이 바스커빌 저택에 가는 것이 현명한지 아닌지 결론을 내리는 일입니다."

"제가 왜 가지 말아야 하죠?"

"위험할 것 같습니다."

"우리 가문에 얽힌 그 악마 같은 존재 때문에 위험하다는 얘긴가요? 아니면 그곳에 있는 어떤 사람 때문에 위험하다는 말인가요?"

"그게 바로 우리가 알아내야 하는 겁니다."

"그게 무엇이든 제 대답은 똑같습니다. 홈즈 씨, 지옥의 악마 따위는 없습니다. 그리고 이 지구 상에 제가 가문의 고향으로 돌아가는 것을 막을 사람도 없고요. 이것이 제 마지막 대답입니다." 말을 할 때 헨리 경의 짙은 눈썹은 찌푸려졌고, 홍조 띤 얼굴은 거의 검붉은 빛으로 변했다. 바스커빌 가문의 불같은 성격이 사라지지 않고 이 마지막 생존자에게 남아 있는 것이 분명했다. "한편으론." 헨리 경이 얘기를 계속했다. "여러분이 얘기한 그 모든 것을 충분히 생각하기에는 시간이 부족했습니다. 이것은 아주 큰 문제라 충분히 이해하고 결정을 내려야 합니다. 제가 마음을 정리할 수 있도록 저 혼자만의 조용한 시간을 가져야 할 것 같습니다. 홈즈 씨, 지금 시간이 11시 30분을 지나고 있습니다. 저는 바로 호텔로 돌아가겠습니다. 홈즈 씨와 왓슨 선생이 오후 2시경에 오셔서 점심을 같이 했으면 합니다. 그때 이 문제를 제가 어떻게 생각하고 있는지 좀 더 분명하게 말씀드릴 수 있을 것 같습니다."

"왓슨, 시간 괜찮은가?"

"전혀 문제없네."

"그럼, 그때 뵙겠습니다. 마차를 불러 드릴까요?"

"너무 혼란스러워서 차라리 걷고 싶습니다."

"제가 함께 걷겠습니다." 모티머 씨가 대답했다.

"오후 2시에 다시 뵙겠습니다. 그럼, 이만 가겠습니다."

우리의 방문자들이 계단을 내려가는 소리와 현관문을 '쾅' 닫는 소리가 들렸다. 그 순간 홈즈는 갑자기 나른한 공상가에서 활기 넘치는 남자로 돌변했다.

"자네 모자 그리고 구두! 왓슨, 서둘러! 한순간도 놓치면 안 돼!" 홈즈는 가운을 입은 채 신속하게 방으로 들어가더니 순식간에 외투를 걸치고 다시 나왔다. 우리는 서둘러 계단을 내려가 거리로 접어들었다. 모티머 씨와 헨리 경은 약 200미터 전방에서 옥스퍼드 스트리트 방향으로 가고 있었다.

"내가 뛰어가서 잠깐 멈추라고 할까?"

"그럴 필요 없네, 왓슨. 자네만 좋다면 나는 자네와 함께 걷는 게 더 만족스럽다네. 저 친구들도 오늘이 산책하기 정말 좋은 아침이라는 걸 아는 것 같군."

앞 사람들과의 거리가 반으로 줄어들 때까지 홈즈는 빠르게 걸었다. 그래도 여전히 100미터가량 떨어져 있었다. 우리는 두 사람을 따라 옥스퍼드 스트리트로 들어가 리젠트 스트리트로 내려갔다. 한번은 앞에 가던 우리 친구들이 멈춰 서서 상점 진열대를 응시하자 홈즈도 똑같이 했다. 그러고는 금방 만족스러운 듯 소리를 질렀다. 홈즈의 반짝이는 눈이 바라보는 곳을 따라가자 이륜마차 안에 타고 있는 한 남자를 볼 수 있었다. 마차는 거리의 반대편에 정차했다가 이제 다시 천천히 앞으로 가고 있었다.

"바로 저 남자야. 왓슨, 따라와! 이왕이면 가서 자세히 보자고."

그 순간 나는 덥수룩한 검은 턱수염을 달고 있는 남자가 마차의 창문을 통해 날카로운 눈빛으로 우리를 보고 있다는 것을 알아차렸다. 마차 위쪽의 작은 문이 열리더니 안에서 뭐라고 마부를 향해 소리를 쳤다. 그러자 마부는 마차를 몰고 미친 듯이 리젠트 스트리트를 달렸다. 홈즈가 열심히 주변을 둘러보았지만 빈 마차는 없었다. 그러자 홈즈는 마차들 사이를 뛰어 추적을 시작했다. 하지만 출발은 좋았으나 이미 마차는 시야에서 사라진 뒤였다.

"이런 제길." 홈즈가 어쩔 수 없다는 듯 한숨을 내뱉었다. 홈즈는 숨을 헐떡이며 하얗게 질린 얼굴로 짜증을 내면서 마차들 사이에서 나타났다. "이렇게 운이 안 좋은 날이 있었던가? 이렇게 놓친 경우가 말이야? 왓슨, 자네가 정직한 사람이라면 오늘 이 일도 기록해야 할 거야. 내 성공과 대비해서 이런 실패도 남겨야 해!"

"그 남자가 누구였나?"

"나도 모른다네."

"미행자?"

"미행의 증거지. 우리가 헨리 경에게 들은 바에 의하면 경이 런던에 도착할 때부터 누군가가 매우 가깝게 쫓아다니고 있네. 그게 아니라면 헨리 경이 노섬벌랜드 호텔에 투숙한 것을 어떻게 그렇게 빨리 알 수 있었겠나? 그들이 첫날부터 헨리 경을 미행했다면 둘째 날에도 당연히 미행했다고 볼 수 있지. 자네도 아까 봤을 거야. 모티머 씨가 그 전설에 대해 얘기할 때 내가 창문 쪽으로 두 차례 갔던 것을."

"그래, 기억나네."

"그때 나는 거리에서 빈둥거리는 사람을 찾고 있었지. 하지만 아무도 보지 못했어. 왓슨, 우리는 지금 아주 영리한 사람을 상대하고 있다네. 이건 심각한 문제야. 우리와 마주친 그 사람이 좋은 편인지 나쁜 편인지 아직 최종적으로 알 수 없지만, 나는 항상 어떤 힘과 음모를 느끼고 있다네. 우리의 친구들이 떠나자마자 그들을 쫓는 보이지 않는 미행자들을 확인하기 위해서 즉시 그들을 따라 나왔잖아. 하지만 그 영리한 미행자는 도보가 아니라 마차를 이용하고 있었던 거야. 그래서 뒤에서 빈둥거릴 필요도 없었고, 가끔은 그들 앞으로 지나치면서 그들이 눈치채지 못하도록 했지. 이 방법은 추가적인 장점도 있네. 이미 마차를 타고 있기 때문에 헨리 경이 마차를 타더라도 얼마든지 미행할 수 있다는 거야. 그러나 한 가지 명백한 단점이 있지."

"마부가 있다는 것."

"그렇지."

"마차 번호를 보지 못해 정말 안타깝군."

"왓슨, 내가 오늘 좀 서툴게 굴었다고 정말로 마차 번호조차 보지 못했다고 생각하는 건 아니겠지? 2704번이야, 이게 바로 그 마부네. 하지만 당장은 이 번호가 쓸모가 없어."

"자네로서는 최선이었네."

"마차를 봤을 때 나는 즉시 돌아서서 다른 방향으로 걸어갔어야 했어. 그러고 나서 느긋하게 다른 마차를 잡아타고 충분한 거리를 두고 그 마차를 따라갔어야 했네. 아니면 더 좋은 방법으로, 마차를 타고 노섬벌랜드 호텔로 가서 기다리는 거였어. 그러다가 그 알려지지 않은 미행자가 헨리 경을 따라 호텔에 왔을 때, 우리도 그 미행자와 같은 방식으로 미행자를 미행해서 어디로 가는지 봤어야 했네. 그런데 우리의 무모한 열정으로 인한 실수와 뛰어난 민첩성과 활동력을 갖춘 우리의 적 때문에 결국 기회를 놓치고 말았군."

이런 이야기를 나누며 어슬렁어슬렁 리젠트 스트리트를 걷는 동안 우리 앞에 있던 모티머 씨와 헨리 경은 어디론가 멀리 사라졌다.

"헨리 경 일행을 따라갈 이유가 없어졌군." 홈즈가 말했다. "미행자는 사라져버렸고 다시 돌아오지 않을 걸세. 우리가 활용할 수 있는 다음 카드가 뭔지 보고 그걸 갖고 다시 시작해야겠어. 마차에 타고 있던 그 남자 얼굴을 기억할 수 있겠나?"

"내가 확신할 수 있는 것은 오직 턱수염뿐이네."

"사실 나도 그래. 내 추측에 따르면 그 턱수염은 분명 가짜일 가능성이 매우 높아. 그렇게 세심하게 편지를 조작할 정도로 영리한 사람이 얼굴을 감추려는 이유가 아니라면 턱수염을 하고 있을 이유가 없지. 들어오게, 왓슨!"

홈즈는 지역 심부름센터 사무실로 들어갔다. 사무장이 홈즈를 친절하게 맞았다.

"윌슨, 지난번에 내가 자네를 도와주었던 그 일을 잊지 않았겠지?"

"그럼요, 홈즈 선생님. 절대 잊을 수 없죠. 제 명성을 지켜주시고, 어쩌면 생명까지 구해주신 일인데요."

"이 사람 과장이 심하군. 윌슨, 내 기억에 자네 직원 중에 젊은 친구가 있었는데, 조사하는 일에서 뛰어난 실력을 보여준 이름이 카트라이트인 친구."

"네, 지금도 함께 일하고 있습니다."

"그 친구 좀 불러주겠나? 고맙네! 그리고 이 5파운드 지폐 좀 잔돈으로 바꿔주면 좋겠네."

밝고 영리한 얼굴의 열네 살 소년이 사무장의 호출에 불려 나왔다. 소년은 커다란 존경심을 갖고 유명한 탐정을 바라보고 섰다.

"호텔 목록 좀 보여주게." 홈즈가 물었다. "고맙네! 카트라이트군, 여기 스물세 개의 호텔 이름이 있네. 모두 다 채링 크로스 주변에 있지. 보이나?"

"네, 보입니다."

"자네는 이 모든 호텔을 방문하게."

"네, 알겠습니다."

"각각의 호텔에 가면 우선 밖에 있는 문지기에게 1실링씩 돈을 주게나. 여기 23실링이 있네."

"네, 알겠습니다."

"그런 다음 어제 사용한 휴지통을 보여달라고 하게. 매우 중요한 전보가 전달되지 않아서 그걸 찾고 있다고 말하면 될 거야. 무슨 말인지 알겠지?"

"네, 알겠습니다."

"그러나 자네가 정말로 찾을 것은 가위로 오려진 여러 개의 구멍이 있는 〈타임스〉의 가운데 페이지일세. 여기 〈타임스〉 사본이 있어. 이런 페이지를 찾으면 돼. 쉽게 알아볼 수 있겠지?"

"네, 그렇습니다."

"자네가 용건을 얘기하면 문지기가 호텔 내의 짐꾼을 부를 거야. 그럼 그 짐꾼에게도 역시 1실링씩을 주게. 여기 23실링이 있네. 아마도 스물세 개 중 스무 개 호텔의 휴지통에서 나온 쓰레기는 이미 불태워졌거나 치워졌을 걸세. 나머지 세 군데에서는 아마 종이 뭉치를 발견하게 될 거야. 그중에서 〈타임스〉의 이런 페이지를 찾으면 되네. 찾을 확률은 크지 않다네. 여기 10실링이 더 있으니 만일의 경우에 사용하게. 베이커 스트리트의 내 집에 있을 테니 저녁이 되기 전에 전보로 결과를 알려주게. 왓슨, 이제 우리에게 남은 것은 전보를 통해 마차 번호 2704의 마부가 누구인지 알아내는 일뿐이군. 그리고 본드 스트리트의 미술관에 들러 점심 약속 때까지 시간을 보내면 되겠어."

5
끊어진 세 가닥의 실마리

셜록 홈즈는 자신의 관심을 자유자재로 변경하는 매우 놀라운 능력이 있었다. 미술관에 있는 두 시간 동안 홈즈는 우리가 방금 전까지 관여했던 그 사건을 까맣게 잊어버리고 벨기에 현대 미술 거장의 그림에 완전히 빠져들었다. 다른 얘기는 일절 하지 않고 예술에 관한 가장 최근의 견해들을 마구 쏟아냈다. 이후 우리는 미술관을 떠나 노섬벌랜드 호텔로 갔다.

"헨리 바스커빌 경이 위층에서 기다리고 계십니다." 호텔 직원이 안내하면서 설명했다. "경께서는 선생님이 오시면 즉시 위층으로 모시라고 하셨습니다."

"제가 숙박인 명부를 좀 보고 싶은데, 괜찮을까요?" 홈즈가 물었다.

"물론입니다."

숙박인 명부를 보니 헨리 경이 숙박한 후로 두 명의 이름이 추가되었다. 한 사람은 티오필러스 존슨으로, 가족과 함께 뉴캐슬에서 왔다. 다른 한 사람은 올드모어 부인과 하녀로, 올튼의 하이 로지에서 왔다.

"여기 이 존슨은 내가 전에 알고 지내던 그분이 확실하군요." 홈즈가 직원에게 물었다. "변호사고, 은빛 머리에 걸을 때 다리를 저는 분이시죠?"

"아닙니다. 이 존슨 씨는 광산 회사 사장으로 매우 활동적인 분입니다. 선생님보다 어리고요."

"확실한가요? 직업을 잘못 알고 있는 건 아닌가요?"

"절대 아닙니다. 그분은 저희 호텔을 몇 년 동안 계속 이용하고 계셔서 저희들이 잘 알고 있습니다."

"오, 그렇다면 맞겠군요. 여기 올드모어 부인도 역시 내가 아는 분인 것 같은데. 자꾸 물어봐서 미안하지만, 종종 한 친구를 만나다 보면 다른 친구도 만나게 되거든요."

"그분은 몸이 편찮으세요. 부인의 남편은 한때 글로스터 시의 시장을 역임하기도 하셨습니다. 런던에 오시면 항상 저희 호텔을 이용하시죠."

"고맙습니다. 내가 아는 분이 아니라니 유감이지만요. 왓슨, 몇 가지 질문을 통해 매우 중요한 사실을 확인했네." 홈즈는 위층으로 함께 가는 동안 계속 낮은 목소리로 얘기했다. "우리는 지금 우리 친구들에게 무척 관심이 있는 그 사람들이 이 호텔에 묵지 않았다는 것을 확인했네. 이건 우리가 그들을 보았기 때문에 그들이 헨리 경을 감시하는 데 무척 어려움을 겪고 있다는 걸 의미하지. 또 헨리 경이 자신들을 알게 될까 봐 걱정한다는 의미도 되고. 이건 무척 큰 의미를 담고 있는 거라네."

"그게 의미하는 게 뭔가?"

"뭘 의미하냐면…. 오, 헨리 경, 왜 그러고 계십니까?"

우리가 계단을 거의 다 올라갔을 때 헨리 바스커빌 경과 마주쳤다. 헨리 경의 얼굴은 분노로 붉게 물들었고, 한 손에는 낡고 더러운 구두를 한 짝 들고 있었다. 얼마나 화가 크게 났는지 말을 더듬는 것은 물론, 우리가 오늘 아침 만남에서 들었던 것보다 훨씬 더 많고 다양한 서쪽 지방의 사투리가 튀어나왔다.

"아무래도 호텔 직원들이 저를 바보로 아는 것 같아요." 헨리 경이 소리쳤다. "조심하지 않으면 조만간 사람을 잘못 건드렸다는 것을 알게 될 겁니다. 이런 제기랄. 만약 직원 녀석이 없어진 내 구두를 찾지 못하면 분명하게 문제를 제기할 겁니다. 홈즈 씨, 저는 누구 못지않게 재밌는 사람인데 이번에는 저들이 선을 넘은 것 같군요."

"아직 구두를 찾고 계신 겁니까?"

"네, 아직도 찾고 있습니다."

"그런데 잃어버린 구두는 분명히 갈색의 새 구두라고 하셨잖아요?"

"그랬죠. 그런데 보시는 것처럼 이번엔 낡은 검정색 구두입니다."

"아니, 구두를 또 잃어버리셨단 말이에요?"

"지금 제가 하려는 말이 그 말입니다. 저는 구두가 세 켤레밖에 없습니다. 새로 산 갈색 구두, 신던 검은색 구두, 그리고 지금 제가 신고 있는 이 에나멜 구두요. 지난밤 누군가 제 갈색 구두 한 짝을 가져갔어요. 그리고 오늘은 검은색 구두 한 짝을 훔쳐갔어요. 거기, 무슨 말인지 알겠어? 말을 해봐. 그렇게 빤히 쳐다보지만 말고!"

당황한 독일 웨이터가 우리 앞으로 왔다.

"아닙니다. 제가 호텔 전체를 돌아다니며 확인했지만, 구두에 대한 얘기는 듣지 못했습니다."

"아무튼, 오늘 일몰 전까지 구두를 찾지 못하면 호텔 매니저를 불러서 당장 이 호텔을 나가겠다고 얘기할 거야."

"찾을 겁니다. 찾을 때까지 조금만 더 기다려주십시오."

"그래야 할 거야. 이 도둑놈 소굴에서 내가 더 이상 물건을 잃어버리지는 않을 테니까. 이런, 이런. 홈즈 씨, 사소한 일로 불편을 끼쳐서 죄송합니다."

"제 생각엔 충분히 문제가 될 만한 일입니다."

"이 문제를 무척 심각하게 보시는 것 같군요?"

"헨리 경은 어떻게 생각하세요?"

"생각하고 말고가 없습니다. 이전에는 없었던 가장 화가 나고 이상한 일입니다."

"가장 이상한 일, 아마도요." 홈즈가 의미심장한 표정으로 대답했다.

"홈즈 씨는 어떻게 생각하세요?"

"음, 아직 얘기할 단계는 아닙니다. 헨리 경, 이번 사건은 매우 복잡합니다. 경의 백부 사망 사건은 제가 지금까지 런던에서 다룬 500여 건의 사건들 중 그 어떤 것보다도 복잡합니다. 그러나 우리는 여러 개의 단서를 가지고 있고, 그것들 중 일부가 우리를 진실로 인도할 것입니다. 어쩌면 지금까지 우리는 엉뚱한 단서를 따라왔는지도 모릅니다. 하지만 조만간 제대로 길을 찾을 겁니다."

우리는 아주 즐겁게 점심을 먹었다. 우리가 모인 이유인 사건에 대해서는 많이 얘기하지 않았다. 식사 후 헨리 경의 거실에 모이자 홈즈가 헨리 경에게 어떻게 할 생각인지 물었다.

"바스커빌 저택으로 갈 겁니다."

"그럼, 언제요?"

"이번 주말에요."

"전체적으로 봤을 때." 홈즈가 얘기를 시작했다. "경이 현명한 결정을 한 것 같습니다. 저는 경이 런던에서 지속적으로 미행을 당하고 있었다는 다양한 증거를 가지고 있습니다. 수백만 명이 사는 이 거대한 도시에서 그들이 누구며, 목적이 무엇인지 알아내는 것은 쉬운 일이 아닙니다. 만약 그들이 나쁜 의도를 갖고 있다면 아마도 경을 위험하게 할 겁니다. 하지만 그것을 막기는 쉽지 않을 거고요. 모티머 씨, 아침에 저희 집을 나왔을 때부터 두 분은 미행당하고 계셨어요."

모티머 씨는 깜짝 놀라며 물었다. "미행이요? 누가요?"

"안타깝게도 아직은 모릅니다. 다트무어에 사는 이웃 사람이나 지인 중 혹시 얼굴에 온통 검은색 수염이 난 남자가 있습니까?"

"아니오, 잠깐만요. 음, 예, 있어요. 배리모어요, 찰스 경의 집사. 그 사람이 얼굴 가득 수염을 길렀어요."

"배리모어는 지금 어디 있습니까?"

"저택을 지키고 있죠."

"배리모어가 정말 저택에 있는지, 아니면 지금 런던에 있는지 확인할 수 있는 방법이 있죠."

"어떻게요?"

"전보 양식을 저에게 주세요. '헨리 경을 위한 준비는 다 됐는가?' 이거면 충분하겠군. 주소는 바스커빌 저택의 배리모어 씨. 가장 가까운 우체국이 어디죠? 그림펜이요, 좋습니다. 우리는 두 번째 전보를 그림펜 우체국 국장에게 보낼 겁니다. '이 전보를 배리모어 씨에게 직접 전달해주세요. 만약 배리모어가 없다면 노섬벌랜드 호텔의 헨리 바스커빌 경에게 전보로 알려주세요.' 이렇게 하면 배리모어가 데번셔의 저택에 있는지 없는지 오늘 저녁 때쯤이면 알 수 있을 겁니다."

"그렇네요." 헨리 경이 동의했다. "그런데 모티머 선생, 이 배리모어란 사람은 누구죠?"

"지금은 죽은 옛 관리인의 아들입니다. 배리모어 가족은 지금까지 4대째 저택을 관리하고 있습니다. 지금까지 제가 아는 바로는 배리모어와 그의 아내는 그 누구보다도 그 지역에서 착실한 사람입니다."

"그렇지만." 헨리 경이 말을 꺼냈다. "저택에 바스커빌 가문 사람이 하나도 없으니, 그 사람들이 하는 일 없이 놀고 있을 것이라는 사실도 분명해 보이는군요."

"그 말은 맞습니다."

"찰스 경의 재산 중 일부를 배리모어가 받나요?" 홈즈가 물었다.

"배리모어와 그의 아내가 각각 500파운드씩 받습니다."

"그들은 자신들이 그 돈을 받는다는 사실을 알고 있나요?"

"네, 찰스 경이 생전에 유산 분배에 대한 얘기를 자주 하셨으니까요."

"그것참 흥미롭군요."

"제가 바라는 건." 모티머 씨가 말했다. "홈즈 씨가 찰스 경의 재산을 나눠 받는 모든 사람들을 의심스러운 눈으로 보지 않았으면 하는 겁니다. 저 역시 1000파운드를 상속받거든요."

"정말입니까? 또 다른 사람은요?"

"여러 명의 개인들이 조금씩 돈을 받고요, 일부 큰돈은 자선단체에 기부됩니다. 나머지 모든 재산은 헨리 경이 받게 되어 있습니다."

"그 나머지는 얼마나 됩니까?"

"74만 파운드입니다."

홈즈는 너무 놀라 눈썹을 위로 치켜뜨면 말했다. "그렇게 엄청난 금액이 연관되어 있는 줄은 미처 몰랐군요."

"찰스 경은 부자로 알려져 있었지만, 사실 우리도 경의 재산을 조사하기 전까지 얼마나 큰 부자인지 알지 못했습니다. 찰스 경의 전 재산은 거의 100만 파운드 정도 됩니다."

"저런! 누군가 이런 위험한 게임을 벌일 만큼 엄청난 돈이군요. 한 가지만 더요, 모티머 씨. 만약에 여기 있는 헨리 경에게 무슨 일이 생긴다면, 헨리 경, 불편한 가정법을 용서해주십시오. 누가 그 재산을 물려받게 됩니까?"

"찰스 경의 막냇동생인 로저 바스커빌이 미혼으로 죽었기 때문에 그 재산은 먼 사촌인 데즈먼드에게 상속됩니다. 제임스 데즈먼드는 웨스트멀랜드에 사는 나이 지긋한 목사입니다."

"그렇군요. 이런 사소한 일들 전부가 정말 흥미로워요. 제임스 데즈먼드 씨를 만나보신 적은 있나요?"

"네, 한 번 찰스 경을 찾아온 적이 있습니다. 점잖은 외모에 성자와 같은 삶을 사는 분입니다. 데즈먼드 씨는 찰스 경이 물려주려는 유산을 거절해서 찰스 경이 강제로 줬던 것을 기억합니다."

"그런 순수함 덕분에 찰스 경으로부터 수십만 파운드를 물려받는 상속인이 될 수 있었겠죠."

"데즈먼드 씨는 상속인이 한정되어 있는 부동산도 상속받게 됩니다. 또한 헨리 경이 유언장을 변경하지 않는 한 현금도 상속받게 됩니다. 물론 헨리 경이 원하는 대로 할 수 있습니다."

"유언장을 작성하셨나요, 헨리 경?"

"하지 않았습니다, 홈즈 씨. 시간이 없었습니다. 어제야 겨우 어떤 문제가 있는지 알았거든요. 그러나 어떤 경우라도 저는 현금이 지위, 부동산과 함께 필요하다고 생각합니다. 돌아가신 백부님의 생각이시기도 하고요. 땅을 관리하기에 충분한 현금이 없다면 어떻게 바스커빌 가문의 옛 영광을 재현할 수 있겠습니까? 저택, 땅, 현금이 반드시 함께 있어야 합니다."

"그렇군요. 헨리 경, 지체하지 않고 데번셔에 내려가겠다는 생각에 동의합니다. 한 가지 제가 반드시 말씀드리고 싶은 것이 있습니다. 절대 혼자 가셔서는 안 됩니다."

"모티머 선생과 함께 갑니다."

"하지만 모티머 씨는 운영해야 하는 병원이 있습니다. 그리고 집도 경의 저택에서 한참 떨어져 있고요. 아무리 돕고 싶어도 늘 도움을 줄 수는 없을 것입니다. 헨리 경, 신뢰할 수 있고 항상 곁에 있을 수 있는 사람과 반드시 같이 가셔야 합니다."

"홈즈 씨가 직접 저와 동행해주실 수 있나요?"

"이 사건이 중요한 단계로 접어들면 제가 직접 그곳에 가겠습니다. 하지만 현재 제가 다양한 사건 상담을 하고 있고, 여러 지역에서 끊임없이 상담 요청이 들어오고 있어 지금 당장 런던을 떠날 수는 없습니다. 특히 최근 영국에서 가장 존경받는 가문 중 하나가 협박범들에 의해 명예가 실추되고 있어 추잡한 소문이 나지 않도록 제가 막는 역할을 하고 있습니다. 지금 제가 다트무어에 가는 것은 불가능합니다."

"그럼 누구를 추천하시겠습니까?"

홈즈가 손으로 내 팔을 잡았다. "이 친구가 함께 간다면 경이 어려움에 처했을 때 그 누구보다도 잘 도와드릴 수 있을 겁니다. 제가 보장하지요."

갑작스러운 홈즈의 제안에 나는 깜짝 놀랐다. 그러나 내가 뭐라고 대답하기도 전에 바스커빌 경이 두 손으로 나를 단단히 움켜잡았다.

"아, 왓슨 선생이 그런 분이셨군요. 이 사건이 저에게 어떤 의미인지, 그리고 제가 사건에 대해 아는 것만큼 잘 알고 계시니 큰 도움이 될 겁니다. 선생께서 바스커빌 저택으로 내려와 저를 도와주신다면 그 은혜는 평생 잊지 않겠습니다."

나는 언제나 이런 흥미진진한 사건에 매료되었다. 그리고 이미 홈즈가 나를 한껏 추켜세웠고 헨리 경도 도와달라고 간절하게 부탁했기 때문에 별다른 방법이 없었다.

"기꺼이 함께 가겠습니다. 그런데 어떻게 해야 그곳에서의 시간을 효과적으로 보낼 수 있을지 고민입니다."

"나에게 아주 상세하게 현지 상황을 알려주게." 홈즈가 대답했다. "결정적 순간이 오면, 그런 순간이 올 걸세. 그럼 내가 직접 자네가 어떻게 해야 할지 알려주겠네. 토요일이면 내려갈 준비를 다 마칠 수 있겠지?"

"왓슨 선생, 가능하시겠습니까?"

"전혀 문제없습니다."

"그럼 다른 얘기가 없는 한 토요일 패딩턴 역에서 출발하는 10시 30분 기차를 타고 내려갑시다."

우리가 방을 나서려고 막 일어나던 때, 바스커빌 경이 갑자기 기쁨에 찬 목소리로 소리를 지르며 방구석으로 달려가 진열장 아래에서 갈색 구두를 집어 들었다.

"없어졌던 구두가 여기 있네!"

"우리가 고민했던 부분이 쉽게 풀릴 수도 있겠군!" 홈즈가 중얼거렸다.

"하지만 뭔가 이상하군요." 모티머 씨가 끼어들었다. "제가 점심 식사 전에 이 방을 아주 꼼꼼하게 살펴봤거든요."

"저도 그랬죠." 바스커빌 경이 말을 이었다. "아주 샅샅이 뒤져봤죠."

"그때는 분명히 이 구두가 여기 없었습니다."

"그렇다면 우리가 점심 식사를 하는 동안 웨이터가 갖다 놓은 모양이네요."

조금 전에 만났던 독일 웨이터를 불러 물어봤지만 자신은 갖다 놓은 적이 없다고 했다. 또 다른 직원들에게 물어봐도 모른다고 했다. 분명한 의미를 알 수 없는 이상한 일들이 빠르게 계속 일어나는 가운데 한 가지 문제가 더 추가되었다. 찰스 경의 끔찍한 죽음을 제외하고도 단 이틀 사이에 이해할 수 없는 사건들이 연달아 일어나고 있었다. 신문 활자를 오려 만든 편지, 이륜마차를 타고 미행하던 검은 턱수염, 새로 산 갈색 구두 한 짝 분실, 낡은 검은색 구두 한 짝 분실, 그리고 지금 다시 돌아온 갈색 구두 한 짝. 베이커 스트리트의 집으로 돌아가는 마차 안에서 홈즈는 말이 없었다. 그러나 홈즈의 찌푸린 눈썹과 고민하는 표정에서 그가 무슨 생각을 하는지 내 마음처럼 알 수 있을 것 같았다. 언뜻 보기에 이상하고 서로 전혀 상관없는 것처럼 보이는 이 모든 사건들을 하나의 틀에 넣어 맞추기 위해 바쁘게 노력하고 있는 것이다. 오후 내내 그리고 저녁 늦게까지 홈즈는 담배를 피우며 생각에 잠겨 있었다.

저녁 식사 바로 직전에 두 개의 전보가 도착했다. 첫 번째는

'방금 배리모어가 저택에 있다는 얘기를 들었음, 바스커빌.' 그리고 두 번째는 '스물세 개 호텔을 직접 방문했음. 그러나 죄송하게도 오려진 〈타임스〉 조각은 찾을 수 없었음, 카트라이트.' 였다.

"왓슨, 이렇게 실마리 두 개가 사라지는군. 어려운 사건보다 더 나를 자극하는 건 없지. 우린 이제 다른 실마리를 찾기 위해 고민해야 하네."

"우리에겐 아직 미행자를 태웠던 마부가 남아 있잖아."

"맞아. 마부의 이름과 주소를 알아내기 위해 등록 기관에 전보를 보냈어. 내 질문에 대한 답변이 지금 오는 모양이군."

초인종이 울리며 답변보다 더 만족스러운 뭔가가 왔음을 알렸다. 문이 열리자 건장한 사내가 들어왔는데, 분명 그 마부였다.

"본사 사무실에서 이 주소에 계신 신사분이 제 번호 2704를 의뢰하셨다는 메시지를 받았습니다." 마부가 설명했다. "저는 7년이나 마차를 몰고 있지만 한 번도 고객의 불평을 들은 적이 없습니다. 얼굴을 직접 뵙고 왜 그러시는지 여쭙기 위해 제가 직접 왔습니다."

"당신에게는 전혀 불만이 없습니다." 홈즈가 대답했다. "오히려 그 반대죠. 만약 제 질문에 분명하게 답변을 해주시면 반 파운드를 드리겠습니다."

"오늘은 정말 운이 좋은 날이군요." 마부가 미소를 지으며 대답했다. "제게 묻고 싶은 게 무엇입니까, 선생님."

"우선 이름과 주소를 알려주세요. 만약의 경우 제가 다시 만날 수 있도록."

"존 클레이턴이고 버러구 터피 3번가에 삽니다. 제 마차는 워털루 역 근처의 시플리 보관소에 있습니다."

홈즈는 내용을 기록했다.

"클레이턴 씨, 이제 오늘 아침 10시에 와서 이 집을 감시하고, 나중에 두 명의 신사를 따라 리젠트 스트리트로 갔던 그 손님에 대해 얘기해주세요."

마부는 깜짝 놀라면서 당황했다. "이미 제가 아는 모든 것을 알고 계신 것 같아 달리 드릴 말씀이 없습니다. 그 손님은 저에게 자신은 탐정이라고 하면서, 누구에게도 자신에 대해 말해서는 안 된다고 당부했습니다."

"클레이턴 씨, 이건 매우 심각한 문제입니다. 만약 저에게 뭔가를 숨기려고 했다가는 당신이 아주 심각한 처지에 빠질 수도 있어요. 지금 그 말은 그 손님이 자신을 탐정이라고 했다는 거죠?"

"네, 그렇습니다."

"언제 그러던가요?"

"마차에서 내릴 때 그랬습니다."

"그 외 다른 얘기는 없었나요?"

"자기 이름을 애기했습니다."

홈즈는 밝은 표정으로 재빠르게 나를 한 번 쳐다봤다. "그 남자가 자기 이름을 애기했다고요? 실수를 했군요. 그래, 이름이 뭐라고 하던가요?"

"그의 이름은." 마부가 대답했다. "셜록 홈즈입니다."

마부의 대답에 홈즈는 지금까지 내가 한 번도 본 적이 없을 정도로 당황한 표정을 지었다. 잠시 동안 홈즈는 정신이 나간 듯 조용히 앉아 있었다. 그러더니 갑자기 온몸을 흔들며 웃기 시작했다.

"정말 감동적이지 않은가, 왓슨? 이보다 감동적일 순 없을 거야!" 홈즈가 감탄했다. "내가 나만큼이나 순발력 있고 머리가 잘 돌아가는 놈에게 한 방 먹었군. 완전히 한 방 먹었어. 그래, 자기가 셜록 홈즈라고 했단 말이죠?"

"네, 그렇습니다. 그게 바로 그 신사분의 이름입니다."

"훌륭해! 이제 그를 어디서 태웠는지부터 시작해서 있었던 모든 일을 얘기해주세요."

"트래펄가 광장에서 9시 30분쯤 태웠어요. 자기가 탐정이라면서, 만약 제가 하루 종일 자신이 하라는 대로 정확히 하고 아무것도 묻지 않으면 금화 두 개를 주겠다고 했어요. 저는 당연히 그런다고 했죠. 우리는 우선 노섬벌랜드 호텔로 가서 두 신사분이 나와서 마차를 타는 것을 지켜봤습니다. 그리고 그 마차를 따라 여기서 가까운 곳까지 왔습니다."

"이 집 문 앞이었군." 홈즈가 끼어들었다.

"확실하지는 않습니다. 그러나 그 손님은 모든 것을 알고 있었던 것 같습니다. 우리는 이 거리의 중간쯤에 마차를 세우고 한 시간 반쯤 기다렸습니다. 그런데 그 두 신사분이 우리 앞을 지나쳐서 걸어갔고, 우리는 그분들을 따라 베이커 스트리트를 쭉 내려갔습니다."

"그럴 줄 알았어." 홈즈가 중얼거렸다.

"리젠트 스트리트의 4분의 3분쯤 갔을 때였습니다. 갑자기 그 손님이 쪽문을 열고 소리쳤어요. '지금 즉시 워털루 역으로, 갈 수 있는 최대한의 속도로 빨리'라고요. 저는 마차를 급히 몰아서 역에 10분도 안 돼 도착했습니다. 그러자 손님은 고맙게도 금화 두 개를 주고 역을 향해 걸어갔어요. 저만큼 걸어가다가 돌아서서는 '내가 누군지 궁금할 테지. 지금까지 당신이 태우고 다닌 사람은 셜록 홈즈요'라고 얘기했어요. 그래서 제가 이름을 알게 된 겁니다."

"알겠습니다. 그리고 뭐 다른 것은 없었나요?"

"그분이 역으로 들어간 후로는 없습니다."

"그럼 그 셜록 홈즈라는 분이 어떻게 생겼나요?"

마부는 머리를 긁적였다. "그분은 전반적으로 일반적인 신사들과는 달랐습니다. 마흔 살 정도 돼 보였고, 선생님보다 5~7센티미터쯤 작은 중간 정도의 키였습니다. 정장을 차려입었는데, 귀밑 바로 전까지 검은 턱수염을 길렀고 얼굴이 창백했어요. 이 정도밖에는 기억이 나지 않습니다."

"눈동자 색깔은요?"

"그건 모르겠습니다."

"더 기억나는 것은 없나요?"

"더 이상 없습니다."

"수고하셨습니다. 여기 약속한 반 파운드입니다. 또 다른 정보를 가지고 온다면 좀 더 드리죠. 안녕히 가세요."

"감사합니다. 안녕히 계세요."

존 클레이턴은 만족스러운 웃음을 띤 채 떠났다. 홈즈는 내 쪽으로 몸을 돌리고 아쉬운 표정으로 어깨를 으쓱 추켜올렸다.

"우리의 세 번째 실마리가 사라졌군. 우린 처음 자리로 다시 돌아왔어." 홈즈가 말을 꺼냈다. "교활한 녀석! 그자는 우리의 계획을 알고 있었어. 헨리 바스커빌 경이 나한테 상담하러 올 거라는 사실도, 리젠트 스트리트에 있을 때 내가 누구인지도 알았고, 내가 마차 번호를 보고 저 마부를 수소문해 찾을 거라는 것까지도 예상했어. 그래서 다시 돌아와 대담한 메시지를 남긴 거지. 왓슨, 이번엔 우리가 대적할 만한 강적을 제대로 만난 것 같아. 런던에서는 내가 한 방 먹었으니, 데번셔에서는 자네가 훨씬 잘해주길 바랄 수밖에 없겠어. 아무래도 그게 마음에 좀 걸리는군."

"걸리는 게 뭔데?"

"자네를 보내는 것 말이야. 왓슨, 이건 매우 심각한 사건이야. 아주 위험한 사건이라고. 이 사건을 캐면 캘수록 기분이 안 좋군. 자네는 웃을지 모르지만, 자네가 아무 탈 없이 다시 이 베이커 스트리트로 돌아온다면 난 정말 기쁠 걸세."

6
바스커빌 저택

헨리 바스커빌 경과 모티머 씨는 약속한 날에 준비를 마쳤다. 우리도 계획대로 데번셔로 가기 위해 집을 나섰다. 홈즈는 나와 함께 마차를 타고 역까지 와서 마지막으로 내가 할 일과 방법에 대해 조언해주었다.

"왓슨, 내가 생각하는 이론이나 의심나는 부분을 이야기하면 자네가 오히려 헷갈릴 수 있어. 나는 자네가 단순하게 사실만을 최대한 자세히 알려주길 바라네. 가설을 세우는 것은 나한테 맡기고 말이야."

"어떤 종류의 사실 말인가?" 내가 질문했다.

"분명하지 않더라도 사건과 관련 있어 보이는 것은 무엇이든. 그리고 특히 바스커빌 경과 이웃 사람들 사이의 관계를 자세히 알려주고, 찰스 경의 죽음과 연관 있는 새로운 사실이 있으면 알려주게. 지난 며칠 동안 이 사건에 대해 꼼꼼히 생각해봤는데, 유감스럽게도 결과는 마땅치가 않아. 한 가지 분명한 것은 다음 상속 순위자라는 그 제임스 데즈먼드 말일세. 점잖은 성품의 나이 든 신사라고 하는 걸 보면 이번 일을 꾸민 것 같지는 않아. 아마도 그 사람은 용의 선상에서 완전히 배제해야 할 것 같아. 그러고 나면 황야에서 헨리 바스커빌 경 주변에 실제 살고 있는 사람들만 남게 되네."

"제일 먼저 배리모어 부부를 저택에서 내보내는 게 좋지 않을까?"

"절대 안 되네. 큰 실수를 해서는 안 돼. 만약 그들이 죄가 없다면 가혹한 처사가 될 테고, 만약 죄가 있다면 그들을 조사할 수 있는 기회를 놓쳐버리는 걸세. 안 되지, 안 돼. 그들을 계속 용의자 명단에 두고 지켜봐야 하네. 그리고 내 기억이 맞다면 저택에는 마부가 있고 황야에는 두 명의 농부도 살고 있지. 사건과는 전혀 무관해 보이는 우리의 친구 모티머 씨도 있고, 전혀 알려진 게 없는 그의 아내도 있어. 박물학자인 스테이플턴과 젊고 매력적이라는 그의 여동생도 있고, 래프터 저택의 플랭클랜드도 알려진 게 거의 없군. 마지막으로 한두 명의 다른 이웃 사람들이 있지. 이 모든 사람들을 자네가 관심을 갖고 잘 조사해야 할 거야."

"최선을 다할 생각이네."

"총은 가지고 가는 거지?"

"그럼, 아무래도 가지고 가는 게 좋을 것 같아."

"당연하지. 밤이고 낮이고 항상 리볼버를 가지고 다니게. 절대 놓고 다니지 말고."

헨리 경과 모티머 씨는 벌써 일등석 칸의 표를 구매해 승강

장에서 우리를 기다리고 있었다.

“없어요, 어떤 종류든 새로운 소식은 없었어요.” 홈즈의 질문에 모티머 씨가 대답했다. “제가 한 가지 분명히 말씀드릴 수 있는 것은 지난 이틀 동안 미행을 당하지는 않았다는 겁니다. 외출하기 전에 주변을 아주 샅샅이 살펴봤거든요. 누가 있었다면 바로 알았을 겁니다.”

“두 분이 항상 같이 다니셨군요?”

“어제 오후만 빼고요. 제가 보통 런던에 오면 하루 정도는 개인적으로 시간을 보내거든요. 그래서 어제는 의과 대학 박물관을 구경했습니다.”

“저는 공원에서 친구를 만났습니다.” 헨리 바스커빌 경이 대답했다.

“하지만 그 어떤 미행이나 문제도 없었어요.”

“그렇다고 하더라도 경솔한 행동이었습니다.” 홈즈는 걱정스러운 눈빛으로 고개를 가로저었다. “헨리 경, 절대 혼자 돌아다니시면 안 됩니다. 계속 그렇게 하시다가는 대단히 위험이 일이 생길 수 있습니다. 그런데 다른 구두 한 짝은 찾으셨나요?"

"아니오. 찾지 못했습니다, 홈즈 씨."

"그것참 기묘한 일이군요. 아무튼 안녕히 가십시오." 기차가 승강장으로 서서히 들어오자 홈즈가 작별 인사를 건넸다. "헨리 경, 모티머 씨가 우리에게 들려준 그 괴이한 옛 전설을 명심하세요. 사악한 힘이 기승을 부리는 어두운 밤에는 절대로 황야에 가시면 안 됩니다."

기차가 출발하자 나는 고개를 돌려 승강장을 바라봤다. 큰 키의 홈즈가 심각한 표정을 띤 채 미동도 하지 않고 우리를 바라보고 서 있었다.

기차 여행은 빠르게 흘러갔지만 무척 즐거웠다. 나는 헨리 경, 모티머 씨와 더욱 가까워질 수 있었고, 모티머 씨의 개와도 장난을 치며 놀았다. 얼마 지나지 않아 온난 습윤한 활엽수림 지역에서 볼 수 있는 갈색 삼림토가 창밖으로 계속 보이더니, 벽돌집들은 사라지고 화강암이 나타났다. 울타리가 쳐진 들판에서는 붉은 소들이 한가로이 풀을 뜯고 있었다. 무성하게 자란 풀과 울창한 식물들이 이곳 기후가 습하다는 것을 말해주고 있었다. 아직 젊은 바스커빌 경은 감회 어린 눈빛으로 창문 밖을 바라보더니, 데번셔의 익숙한 풍경을 알아보고는 들떠서 큰 목소리로 말했다.

"저는 여기를 떠나 여러 좋은 나라에서 살아봤습니다, 왓슨 선생. 하지만 이곳과 비교할 만한 곳은 없었습니다."

"데번셔 사람들은 누구나 항상 그렇게 말하더군요." 내가 대답했다.

"그것은 지역성만큼이나 혈통과도 관계가 있습니다." 모티머 씨가 끼어들었다. "언뜻 보기에도 여기 헨리 경은 켈트족의 둥근 두상을 갖고 있습니다. 켈트족의 열정과 자부심을 마음 속 깊이 가지고 있다는 얘기죠. 돌아가신 찰스 경의 두상은 매우 예외적으로 반은 게일 인, 반은 이베르니언의 특징을 가지고 있었습니다. 어쨌든 헨리 경이 바스커빌 저택을 마지막으로 보신 것은 무척 어렸을 때죠? 그렇지 않은가요?"

"제가 10대 소년일 때 아버지가 돌아가셨어요. 그때 이후로는 그 저택에 가본 적이 없습니다. 우리는 남쪽 해안가의 작은 집에 살았거든요. 그 후 전 바로 친구가 있는 미국으로 건너갔죠. 저는 지금 왓슨 선생만큼이나 모든 것이 다 새롭습니다. 빨리 황야를 보고 싶군요."

"아, 그래요? 그렇다면 경의 소원은 벌써 이루어졌습니다. 지금 보고 계신 곳이 황야입니다." 모티머 씨가 창문 밖을 손가락으로 가리켰다.

초록색의 넓은 들판과 낮은 곡선을 그리고 있는 나무들 뒤로 저 멀리 회색의 우중충한 언덕과 톱니 모양의 괴이한 꼭대기가 보였다. 어둡고 흐릿한 광경이 마치 꿈속에서나 봄직한 풍경이었다. 바스커빌 경은 자리에 앉아 한참 동안 황야를 바라보았다. 나는 경의 진지한 표정에서 황야가 그에게 얼마나 큰 의미로 다가오는지 느낄 수 있었다. 경은 지금 자신의 가문 사람들을 오랫동안 괴롭히면서 씻을 수 없는 깊은 상처를 남긴 괴이한 장소를 처음으로 보고 있는 것이다. 비록 지금 트위드 정장을 입고 미국식 억양을 사용하며 평범하기 그지없는 기차 객실 한쪽에 앉아 있지만, 어둡고 의미심장한 그의 얼굴에서 불처럼 격정적인 바스커빌 가문의 직계 후손임을 분명하게 느낄 수 있었다. 짙은 눈썹과 적갈색 눈동자, 날렵한 코에서는 가문의 자부심, 용기, 강인함이 묻어났다. 만약 우리가 저 으스스한 황야에 대해 어렵고 위험천만한 조사를 해야 한다면, 헨리 경은 동료로서 분명한 위험이 도사리고 있는 모험을 함께 감행할 만한 사람이었다.

기차가 목적지인 간이역에 도착하자 우리는 모두 하차했다. 흰색의 낮은 울타리 너머로 두 마리의 말이 끄는 사륜마차가 대기하고 있었다. 헨리 경의 도착은 굉장히 큰 사건이었기 때문에 역장과 짐을 운반하려는 짐꾼들이 우리를 둘러쌌다. 크지 않은 평범한 시골이었지만 군인처럼 검은 제복을 입고 짧은 소총을 다리에 기댄 채 두 명의 남자가 출입문 주변에서 있었다. 우리가 지나갈 때 이들이 날카롭게 쳐다봐서 나는 약간 놀랐다. 햇볕에 검게 그을린 강인한 얼굴을 한 작은 키의 마부가 헨리 경에게 다가와 예의 바르게 인사를 했다. 마부는 우리를 태우고 넓고 하얀 길을 쏜살같이 달리기 시작했다. 마차의 양쪽 위로 완만하게 펼쳐진 방목장이 보이고, 빽빽한 초록색 나뭇잎 사이로 오래된 삼각형 모양의 지붕을 한 집들이 보였다. 그러나 평화롭고 햇살 가득한 시골 풍경 뒤로는 톱니 모양의 불길한 언덕들로 인해 여기저기 끊긴 우울한 분위기의 황야가 저녁 하늘을 배경으로 어둡고 긴 곡선을 그리며 솟아 있었다.

사륜마차가 방향을 바꿔 옆길로 들어섰다. 우리는 오랫동안 바퀴자국에 닳아 파인 길을 따라 위쪽으로 돌아 올라갔다. 길 양쪽으로는 경사가 졌고 이끼와 잘 자란 고사리과 식물들이 풍부하게 돋아 있었다. 갈색의 관목 덤불과 얼룩덜룩한 검은 딸기가 저물어가는 햇볕을 받아 반짝이고 있었다. 잠시 후 좁은 화강암 다리를 지나갔다. 다리 아래에는 반들반들하게 닦인 회색 바위들 사이로 냇물이 요란한 소리를 내며 빠른 속도로 흘러내려 갔다. 길과 냇물 둘 다 참나무와 전나무가 빽빽한 계곡을 따라 이어졌다. 여기저기 지날 때마다 바스커빌 경은 호기심 가득한 눈으로 바라보며, 즐거움의 탄성을 지르면서 끝도 없이 질문을 했다. 경의 눈에는 모든 것이 아름다웠지만, 나에게는 한 해가 저물어가는 기미가 분명하게 보이는 지루하고 우울한 시골 풍경일 뿐이었다. 마차가 지나가자 길 위에 깔려 있던 노란 나뭇잎이 날아올라 우리 위로 떨어졌다. 식물들이 쌓여 썩은 길 위를 지날 때는 마차의 덜컹거림도 잦아들었다. 나는 이 모든 것이 바스커빌 상속자의 귀향 마차에 자연이 선사하는 슬픈 선물처럼 느껴졌다.

"어!" 모티머 씨가 소리쳤다. "이건 뭐지?"

우리 앞에 황야에서 한쪽으로 삐져나온 히스 관목으로 덮인 경사진 언덕이 나타났다. 언덕 위에는 말을 탄 군인이 어둡고 굳은 얼굴로 소총을 자신의 팔뚝 위에 올려놓은 채 조각대 위에 놓인 딱딱한 기마병 조각처럼 서 있었다. 군인은 우리가 지나가는 길을 유심히 지켜보고 있었다.

"무슨 일인가, 퍼킨스?" 모티머 씨가 물었다.

마부는 180도로 돌아앉으면서 대답했다. "프린스타운 감옥에서 탈출한 죄수가 있습니다. 탈출한 지 벌써 사흘이나 됐습니다. 그래서 교도관들이 모든 길과 기차역을 감시하고 있지요. 하지만 아직 발견되지 않았습니다. 여기 사는 농부들도 이런 상황을 좋아하지 않지만 어쩔 수가 없습니다."

"음, 농부들이 어떤 정보를 제공하면 5파운드를 받는 걸로 알고 있는데…."

"맞습니다. 하지만 5파운드 때문에 잘못 신고했다가는 목이 날아갈 판입니다. 이번에 탈옥한 죄수는 평범한 놈이 아닙니다, 모티머 선생님. 무슨 일이든 서슴지 않고 저지를 무서운 놈입니다."

"그게 누군데 그러나?"

"바로 셀던입니다. 노팅힐 살인자 말입니다."

나도 그 사건을 잘 알고 있었다. 유별나게 잔인한 범죄였다. 살인자의 모든 행동을 그대로 보여주는 경악스럽고 흉포한 수법 때문에 홈즈가 무척 흥미를 느꼈던 사건이었다. 그자가 사형을 선고받았다가 감형된 이유는 정신적으로 문제가 있을 것이라는 의심 때문이었다. 그 정도로 그자의 범죄는 잔인했다.

우리가 탄 마차가 언덕 꼭대기에 올라섰다. 우리 앞에는 광활한 면적의 황야가 펼쳐져 있었다. 울퉁불퉁하고 우락부락한 돌무더기와 바위산들이 여기저기 솟아 있었다. 우리는 황야에서 불어온 차가운 바람에 부르르 몸을 떨었다. 저기 어딘가 황폐한 들판에 극악무도한 살인범이 숨어 있는 것이다. 마치 야생 동물처럼 굴을 파고 숨어서 자신을 내쫓은 모든 사람들을 향해 악의를 잔뜩 내뿜고 있을 것이다. 으슬으슬 불어오는 차가운 바람과 어두운 하늘은 황야의 섬뜩한 분위기와 더할 나위 없이 완벽하게 어울렸다. 바스커빌 경조차 말없이 자신의 외투를 잡아당겨 단단하게 몸을 감쌌다.

우리는 발아래 펼쳐진 비옥한 땅을 뒤로하고 계속 달렸다. 뒤돌아보니 저물어가는 태양이 개울을 황금 실타래로 바꿔놓고, 이제 막 쟁기로 뒤집은 붉은 흙과 여기저기 뒤엉킨 덤불 숲 위에서 빛나고 있었다. 우리 앞에 놓인 길은 점점 거칠어졌다. 적갈색과 올리브색의 비탈길 곳곳에 있는 커다란 바위들 때문에 주변 분위기는 을씨년스러웠다. 우리는 이따금씩 벽과 지붕을 돌로 꾸민 황야의 작은 집들을 지나쳤는데, 황량한 집 분위기를 바꿔줄 만한 덩굴 식물조차 찾아볼 수 없었다. 우리 앞에 갑자기 컵처럼 움푹 파인 저지대가 나타났다. 주변에는 여러 해 동안 비바람을 맞아 성장을 멈춘 채 휘어지고 구부러진 참나무들이 있고, 두 개의 높고 좁은 탑이 나무 위로 솟아 있었다. 마부가 채찍으로 건물을 가리키면서 소리쳤다.

"바스커빌 저택입니다."

헨리 경이 자리에서 일어나 홍조 띤 뺨과 반짝이는 눈으로 저택을 바라봤다.

잠시 후 우리는 저택 정원의 관리실 문 앞에 도착했다. 연철로 된 문에는 미로와 같은 복잡한 무늬가 새겨져 있고, 비바람에 깎이고 이끼류에 뒤덮여 얼룩이 진 양쪽의 기둥 위에는 바스커빌 가문의 상징인 수퇘지의 머리 조각이 놓여 있었다. 거의 폐허가 된 관리실은 검은색 화강암과 서까래 기둥이 그대로 드러나 있었다. 하지만 맞은편에 반쯤 지어진 새 건물이 있었다. 찰스 경이 남아프리카에서 벌어온 돈이 투자된 첫 결실이었다.

우리는 대문을 지나 안으로 이어지는 길로 들어섰다. 쌓인 나뭇잎 위를 지나가자 마차가 다시 한 번 덜컹거렸다. 우리 머리 위로는 오래된 나뭇가지들이 늘어져 만든 칙칙한 터널이 있었다. 나는 저 멀리 끝에서 유령처럼 반짝이는 저택으로 들어가는 길고 어두운 길을 바라보며 몸서리쳤다.

"여기가 거긴가요?" 헨리 경이 낮은 목소리로 조심스럽게 물었다.

"여기가 아닙니다. 주목나무 산책로는 다른 쪽에 있습니다."

젊은 상속자는 우울한 얼굴로 주위를 둘러봤다.

"이런 음침한 장소에 계셨으니 백부님이 그런 일이 생길 거라고 느끼신 것도 무리가 아니네요." 헨리 경이 말을 꺼냈다. "여기 오면 누구든 겁을 먹기에 충분하겠어요. 6개월 안에 여기에 전등를 줄줄이 달아야겠어요. 저택의 현관문 앞에 1000촉짜리 스원 에디슨 전구를 달면 아마 몰라보게 달라질 겁니다."

길을 따라 잔디가 깔린 넓은 정원으로 들어서자 저 앞에 저택이 모습을 드러냈다. 희미한 불빛 속에서 육중한 건물의 중앙에 돌출되어 있는 현관을 볼 수 있었다. 저택의 전면은 담쟁이덩굴로 덮여 있었고, 덩굴로 가려지지 않은 곳곳에 창문과 가문의 문양을 수놓은 방패가 어두운 베일 사이로 보였다. 이 건물의 중앙에서부터 두 개의 돌탑이 솟아 있었다. 총을 쏘기 위한 오래된 구멍이 여기저기 뚫려 있는 탑이었다. 돌탑의 좌우 양측에는 검은색 화강암으로 만들어져 훨씬 현대적인 부속 건물이 있었다. 세로 칸막이가 있는 육중한 창문 사이로 희미한 불빛이 새어 나오고, 높은 지붕 위 경사가 급한 곳에 세워진 굴뚝에서는 한 줄기 검은 연기가 솟아오르고 있었다.

"어서 오십시오, 헨리 경. 바스커빌 저택에 오신 것을 환영

합니다.”

현관에서 나온 키 큰 남자가 계단을 내려와 사륜마차의 문을 열었다. 저택에는 노란색 불빛에 비친 여성의 실루엣이 보였다. 그 여성은 밖으로 나와 남자가 우리 짐을 내리는 것을 도왔다.

“헨리 경, 괜찮으시다면 저는 마차를 타고 바로 집으로 돌아가겠습니다.” 모티머 씨가 의견을 물었다. “제 아내가 저를 기다리고 있거든요.”

“여기서 저녁 식사를 하고 가시는 게 아니고요?”

“아닙니다. 저는 가야 합니다. 가서 해야 할 일들이 있습니다. 여기 남아서 저택을 안내해드리고 싶지만, 배리모어가 저보다 훨씬 더 잘할 겁니다. 그리고 낮이든 밤이든 제가 도와드릴 일이 있으면 망설이지 말고 알려주십시오. 그럼, 안녕히 계십시오.”

멀어져가는 마차 소리를 들으며 헨리 경과 나는 안으로 들어갔다. 우리 뒤로 현관문이 육중한 소리를 내면서 닫혔다. 밖과 달리 실내는 상당히 괜찮았다. 세월의 때가 낀 검은색의 거대한 참나무 들보와 육중한 서까래로 만든 홀은 넓고 고상한 분위기였다. 쇠로 만든 높은 장작 받침대 뒤에 놓인 고풍스럽고 커다란 벽난로에서는 ‘탁탁’ 소리를 내며 장작이 타고 있었다. 헨리 경과 나는 벽난로 쪽으로 손을 뻗었다. 오랜 여행 탓에 손이 마비될 정도로 차가웠다. 주변을 둘러보니 높고 얇은 오래된 스테인드글라스 창문, 참나무 장식판, 사슴 머리 장식, 벽에

걸린 가문의 문장이 새겨진 방패 등 집 안의 모든 물건이 천장에 매달린 등의 약한 불빛 속에서 흐릿하고 칙칙하게 보였다.

"제가 상상한 그대로군요." 헨리 경이 입을 열었다. "정말로 오래된 가문을 그린다면 이런 모습이 아닐까요? 바로 이 저택에서 우리 가문의 사람들이 500년을 살아왔다고 생각하니, 육중한 세월의 무게가 느껴집니다."

나는 헨리 경의 어두웠던 얼굴이 주변을 돌아보는 동안 마치 소년 같은 열정으로 밝아지는 것을 목격했다. 헨리 경이 서 있는 자리에 불빛이 있었지만 벽을 타고 올라간 커다란 그림자가 마치 검은색 덮개처럼 경의 머리 위에 걸려 있었다. 배리모어가 우리 짐을 방에 풀고 돌아왔다. 배리모어는 아주 숙련된 집사의 태도로 공손하게 우리 앞에 섰다. 집사는 아주 뛰어난 외모의 소유자였다. 큰 키에 잘생긴 얼굴, 멋지게 기른 턱수염과 창백할 정도로 하얀 얼굴이 눈에 띄었다.

"지금 바로 저녁을 준비할까요, 헨리 경?"

"준비되었나요?"

"잠시 후면 됩니다. 방에 가시면 따뜻한 물이 준비되어 있습니다. 제 아내와 저는 헨리 경께서 새로운 계획을 준비하실 때까지 모시게 되어 대단한 영광으로 여기고 있습니다. 경이 새로 오셔서 사정이 달라졌기 때문에 이 저택에는 그에 걸맞은 사람들이 필요합니다."

"사정이 달라졌다니 무슨 말인가요?"

"제 말씀은, 찰스 경은 완전히 은퇴를 하셨기 때문에 저희가 그분을 돌봐드릴 수 있었습니다. 하지만 경께서는 앞으로 자연스럽게 여러 손님들과 교류를 하실 텐데, 그렇게 하기 위해서는 일하는 사람들을 교체하셔야 될 거라는 말씀입니다."

"그 말은 배리모어 당신과 당신 아내가 이 집을 떠나고 싶다는 얘긴가요?"

"경께서 원하신다면요."

"하지만 당신 가족들은 우리 가문과 수 대에 걸쳐 함께하지 않았나요? 내가 이제 막 여기서 생활하려고 하는데 오랜 가족을 내보낼 수야 없지요."

나는 집사의 하얀 얼굴에 나타난 어떤 감정의 변화를 읽을 수 있었다.

"저도 그렇게 생각합니다. 제 아내 또한 그럴 것입니다. 그러나 솔직히 말씀드리면 저와 아내는 찰스 경에게 속해 있던 사람들이라 그분의 죽음에 굉장한 충격을 받았고, 그와 관련된 여러 가지 일들로 매우 고통스럽습니다. 이 바스커빌 저택에 계속 있는다면 하루도 마음 편할 날이 없을 것입니다."

"그렇다면, 앞으로 뭘 할 생각입니까?"

"조그마한 사업을 시작하려고 생각하고 있습니다. 찰스 경께서 자상하시게도 저희가 뭔가를 해볼 수 있는 돈을 조금 주셨습니다. 이제 경께 저택을 안내해드리겠습니다."

오래된 홀의 위쪽에는 난간이 쳐진 네모난 복도가 있고 양쪽으로 올라가는 계단이 있었다. 이 중앙 홀에서 두 개의 긴 복도가 건물 전체로 뻗어 있고, 모든 침실들은 복도 쪽으로 문이

나 있었다. 내 방은 바스커빌 경의 방과 같은 건물에, 매우 가까이 있었다. 우리가 묵을 방들은 저택의 중앙부보다는 훨씬 현대적이었다. 밝은 분위기의 벽지와 촛불이 많이 있어 처음 저택에 도착했을 때 느꼈던 우울한 이미지를 잊을 수 있었다.

그러나 홀 쪽으로 나 있는 식당은 그림자가 지고 우울한 분위기였다. 기다란 식당은 중간에 단을 나눠 바스커빌 사람들은 위쪽에, 그 외의 사람들은 아래쪽에 앉도록 구분되어 있었다. 한쪽 끝에는 식당을 내려다볼 수 있는 위치에 악단을 위한 베란다가 있었다. 우리 머리 위로 검은색의 들보가 가로질러 지나가고, 그 위의 천장은 연기에 검게 그을려 있었다. 불붙인 횃불을 나란히 걸어둔 채 화려하게 차려입고 흥청망청 떠들던 과거의 연회와는 어울렸을지도 모른다. 하지만 지금은 검은 정장을 한 두 명의 신사만이 등불이 만든 작은 원 안에 앉아 있었다. 두 명 모두 조용히 입을 다물고 가만히 앉아 있었다. 엘리자베스 여왕 시대의 기사부터 섭정 시대의 귀족들까지 다양한 옷차림을 한 조상들의 그림이 우리를 내려다보면서 조용히 침묵하고 있어 분위기는 더욱 우울했다. 우리는 별로 말이 없었는데, 식사가 끝난 뒤, 최신식 당구대가 설치된 방으로 옮겨가 담배를 피울 수 있어서 그나마 즐거웠다.

"음, 분위기가 밝은 곳은 아니군요." 헨리 경이 말을 꺼냈다. "처음에는 분위기를 좀 바꿀 수 있을 거라고 짐작했는데, 지금은 그럴 수 있을지 의심이 됩니다. 백부님이 이런 분위기의 집에서 계속 혼자 생활하셨다니, 그런 신경과민을 겪었다는 것

도 이해가 되고요. 괜찮으시다면 오늘 밤은 일찍 쉬었으면 합니다. 아마도 아침에는 많은 것이 좀 더 나아질 것입니다."

나는 침대에 들기 전에 커튼을 젖히고 창밖을 내다봤다. 저택 현관문 앞에 있는 것과 같은 풀밭이 펼쳐져 있었다. 두 그루의 나무가 불어오는 바람에 흔들리면서 소리를 내고 있었다. 하늘에는 천천히 이동하는 구름 사이로 반달이 보였다. 차가운 달빛 속에서 나무들 너머로 부서진 바위들과 길고 낮게 굴곡진 우울한 황야가 보였다. 커튼을 닫았지만 마지막으로 본 광경은 쉬는 동안에도 계속 내 마음에 남았다.

하지만 이것이 전부가 아니었다. 나는 매우 피곤했지만 좀처럼 잠을 이루지 못했다. 쉴 새 없이 좌우로 이리저리 뒤척이면서 올 것 같지 않은 잠을 억지로 청해야 했다. 저 멀리서 15분이 되었음을 알리는 시계 소리가 들렸다. 그 소리라도 없었다면 이 오래된 저택에는 죽음과 같은 침묵만이 흘렀을 것이다. 그런데 갑자기 쥐 죽은 듯한 정적을 깨고 무슨 소리가 들렸다. 분명 뭔가가 우는 소리였다. 바로 여자의 흐느낌이었다. 참으려고 애를 쓰지만 북받치는 슬픔을 참을 수 없어 헐떡이는 울음소리. 나는 침대에서 일어나 좀 더 자세히 듣기 위해 귀를 기울였다. 그 소리는 먼 곳에서 나는 것이 아니라 분명 이 건물 안에서 나고 있었다. 약 30분간 나는 모든 신경을 그 소리에 집중했다. 그러나 시계의 종소리와 담쟁이덩굴이 벽에 긁히는 소리를 제외하고 다른 소리는 더 이상 들리지 않았다.

7
머리핏 하우스의 스테이플턴가

다음 날 아침 저택의 신선한 아름다움은 우리가 처음 이곳에 도착했을 때 느꼈던 섬뜩하고 칙칙한 인상을 깨끗이 지워버렸다. 헨리 경과 내가 아침 식사 테이블에 앉았을 때 커다란 창문을 통해 햇살이 쏟아져 들어왔고, 가문의 문장이 새겨진 방패가 햇살을 받아 다양한 색깔로 빛났다. 칙칙해 보이던 장식판도 구리와 같은 황금빛으로 빛났다. 지금 있는 이 실내 공간이 정말로 어제저녁 우리를 우울하게 만들었던 그곳인지 믿어지지 않을 정도였다.

"제 생각에 어제 우리가 느꼈던 거북한 감정은 이 집 때문이 아니라 우리 자신 때문이었던 것 같습니다." 헨리 경이 말을 꺼냈다. "어제는 오랜 시간 여행으로 피곤했고, 여기 오면서 본 풍경 때문에 우울해서 이 집에 대해서도 안 좋게 본 것 같습니다. 지금은 상쾌하게 피곤이 풀리고 나니 모든 것이 이렇게 좋을 수가 없군요."

"그렇기는 하지만 제 모든 의문이 완전히 사라진 것은 아닙니다." 내가 대답했다. "혹시 어젯밤에 여자가 우는 소리를 들으셨나요?"

"이럴 수가! 저도 반쯤 잠이 든 상태로 그 소리를 듣기는 했습니다. 그런데 한참 동안 기다려도 더 이상 소리가 들리지 않아 제가 꿈을 꾼 줄 알았습니다."

"저는 분명하게 들었습니다. 분명히 여자가 흐느끼는 소리였습니다."

"지금 당장 분명하게 확인을 해야겠습니다." 헨리 경은 벨을 울려 배리모어를 호출해 어젯밤에 무슨 일이 있었는지 물었다. 헨리 경의 질문을 받자 창백한 집사의 얼굴이 더욱 창백해지는 것 같았다.

"이 집에 있는 여자는 오직 두 명뿐입니다." 집사가 대답했다. "한 명은 식당에서 일하는 하녀로, 잠은 다른 부속 건물에서 잡니다. 다른 한 명은 제 아내인데, 어젯밤에 결코 그런 소리를 내지 않았습니다."

하지만 집사가 한 말은 거짓이었다. 식사 후 나는 긴 복도에서 배리모어의 아내와 마주쳤는데, 햇살이 환하게 비추고 있어 그녀의 얼굴을 똑똑히 볼 수 있었다. 무표정한 얼굴에 체격이 큰 여자로, 꾹 다문 입술이 단호한 느낌을 풍겼다. 하지만 그녀의 눈은 붉게 충혈돼 있었고 나를 흘낏 바라보는 눈꺼풀이 부어 있었다. 어젯밤에 흐느낀 것은 그 여자가 분명했다. 만약 그녀가 울었다면 남편인 배리모어가 분명히 알았을 것이다. 하지만 배리모어는 발각될 수 있는 위험에도 불구하고 그런 적이 없다고 말했다. 왜 그랬을까? 또 배리모어의 아내는 왜 그렇게 슬프게 울었을까? 창백한 얼굴에 턱수염을 기른 이 잘생긴 집사는 벌써부터 의심스럽고 음침한 분위기를 풍기기 시작했다. 찰스 경의 시신을 처음 발견한 것도 그였고, 경의 죽음과 관련된 모든 상황은 집사의 입에서 나온 것뿐이다. 홈즈와 내가 리젠트 스트리트의 마차에서 본 사람이 배리모어일 가능성이 있을까? 턱수염은 분명 그때 본 남자와 똑같아 보였다. 마부는 남자의 키가 작았다고 설명했지만 그런 특징은 쉽게 잘못 볼 수도 있는 것이다. 이 문제를 어떻게 확인할 수 있을까? 그렇지. 우선 그림펜의 우편배달부를 찾아서 배달부가 정말로 당시 우리가 보낸 전보를 배리모어에게 직접 전달했는지 확인하면 될 것이다. 어떤 결과가 나오든 홈즈에게 보고할 얘기가 생길 것이다.

아침 식사 후 헨리 경은 검토해야 할 서류가 엄청나게 많았다. 그 덕에 나는 조사를 위한 시간을 낼 수 있었다. 황야의 가장자리를 따라 걷는 6킬로미터의 산책은 아주 즐거웠다. 길 끝에는 작은 마을이 있었다. 다른 집들을 내려다보며 서 있는 두 개의 큰 건물 중 하나는 여관이었고, 다른 하나는 모티머 씨의 집이었다. 식료품 상점도 함께 운영하는 우편배달부는 그 전보를 분명하게 기억하고 있었다.

"분명합니다." 배달부가 대답했다. "그 전보를 분명히 배리모어 씨에게 직접 전달했습니다."

"누가 배달했나요?"

"제 아들인 제임스가 했습니다. 너 분명히 지난주 그 전보를 바스커빌 저택의 배리모어 씨에게 전달했지, 응?"

"그럼요, 아버지. 배달했어요."

"배리모어 씨의 손에 직접 전달했니?" 내가 재차 물었다.

"음, 그때 집사님은 위층에 있었어요. 그래서 직접 그분께 전달하지는 못했습니다. 하지만 부인에게 전달했고, 즉시 배리모어 씨에게 전하겠다고 약속했어요."

"당시에 배리모어 씨를 봤니?"

"아뇨, 위층에 있어서 보지 못했어요."

"너는 그 사람을 보지도 못했는데, 어떻게 2층에 있는지 알았지?"

"배리모어 부인이 분명 그렇게 얘기했거든요. 배리모어 씨가 전보를 받지 못했다고 하던가요? 그렇다면 그건 순전히 배리모어 씨 잘못입니다."

더 이상의 조사는 별 의미가 없어 보였다. 홈즈의 전보 계략에도 불구하고 배리모어가 당시 런던에 있었는지 여부를 분명하게 확인할 증거가 없었다. 배리모어가 런던에 있었다고 가정한다면? 찰스 경이 살아 있는 모습을 본 마지막 사람이 그라면? 그리고 새로운 상속자가 영국으로 돌아왔을 때 헨리 경을 처음으로 미행한 사람이 배리모어라면 어떻게 되는 거지? 배리모어는 다른 누군가에게 고용된 것일까? 아니면 자신 스스로 이런 음모를 꾸민 걸까? 무엇 때문에 배리모어는 바스커빌 가문을 공격했을까? 나는 〈타임스〉 사설의 활자를 오려 만든 경고 편지를 떠올렸다. 정말로 배리모어가 그 편지를 만들었을까? 아니면 그의 음모를 좌절시키려는 사람이 만들었을까? 헨리 경이 제시한 것처럼 가장 확실한 것은 이 사건의 목적은 누군가 바스커빌 사람들을 저택에서 쫓아버리려고 하는 것이고, 그렇게 된다면 저택은 배리모어 부부의 편안하고 영구적인 거처가 될 것이라는 사실이다. 그러나 확실히 이런 설명도 젊은 상속자를 잡기 위해 보이지 않는 그물을 짜고 있는 것처럼, 은밀하고 깊이 있게 진행 중인 음모를 설명하기에는 많이 부족해 보였다. 홈즈 스스로가 얘기했듯이 이 사건은 홈즈가 지금까지 접해온 모든 놀라운 사건들 중에서도 가장 복잡한 사건이었다. 나는 혼자 외롭게 황야의 가장자리를 따라 저택으로 돌아가면서 홈즈가 하루빨리 현재 진행 중인 사건을 끝내고 이곳으로 내려와, 내 어깨에 올려진 이 무거운 책임감을 모두 가져가기를 빌었다.

그때 갑자기 뒤에서 내 이름을 부르며 뛰어오는 발자국 소리에 생각을 멈췄다. 모티머 씨일 거라고 생각하며 돌아섰는데, 낯선 사람이 나를 향해 달려오고 있어 깜짝 놀랐다. 키가 작고 날씬했으며, 깨끗이 면도한 얼굴의 단정한 남자였다. 30대 중반에서 40대로 보이는 이 남자는 금발에 턱이 갸름하고 회색 정장을 입은 채 밀짚모자를 쓰고 있었다. 어깨에는 식물 표본이 들어 있는 양철통을 메고 한 손에는 녹색 포충망을 들고 있었다.

"제 무례를 용서하시리라 생각하며 말씀드립니다. 왓슨 선

생님이 맞으시죠?" 내가 서 있는 자리까지 달려온 남자가 헐떡이면서 말을 꺼냈다. "이곳 황야에서는 우리 모두 편안한 친구처럼 지내기 때문에 정식으로 인사드릴 때까지 기다리지 않고 이렇게 왔습니다. 아마 제 이름을 우리의 친구인 모티머 씨를 통해 들으셨을 겁니다. 저는 머리핏 하우스에 사는 스테이플턴이라고 합니다."

"포충망과 양철통을 보고 짐작했습니다. 스테이플턴 씨가 박물학자라고 알고 있었거든요. 그런데 저에 대해서는 어떻게 아셨나요?"

"모티머 씨에게 여쭤봤는데, 병원 창문을 통해서 지나가시는 선생님을 보고 알려주시더군요. 마침 저와 같은 방향이라 따라와 인사드리려고 이렇게 왔습니다. 헨리 경은 힘든 여행에도 불구하고 건강하시다고 들었습니다."

"네, 아주 좋으십니다."

"저희들은 모두 찰스 경이 비참하게 돌아가시고 나서 그분의 상속자가 여기에 거주하기를 거부하면 어떻게 하나 꽤 걱정을 했습니다. 경과 같이 큰 부자인 분이 이런 곳에 오셔서 사시는 것이 이런 시골 지역의 발전을 위해서는 매우 큰 의미가 있거든요. 헨리 경이 설마 그 사건과 관련된 미신을 두려워하시는 것은 아니겠죠?"

"그렇지 않습니다."

"경의 가문을 괴롭힌 그 지옥의 개에 대한 전설은 알고 계시죠?"

"네, 들어봤습니다."

"여기 시골 사람들이 그 전설을 얼마나 믿고 있는지 아시면 놀라실 겁니다. 무척 많은 사람이 황야에서 그 개를 봤다고 주장하고 있거든요."

분명 웃으며 얘기하고 있는 스테이플턴의 눈에서 나는 그가 이 문제를 매우 심각하게 여긴다는 것을 읽을 수 있었다.

"찰스 경은 그 전설을 마음속으로 무척 심각하게 받아들였습니다. 그래서 그런 비극적인 죽음을 당했다고 저는 생각하고 있습니다."

"어떻게요?"

"찰스 경은 극도의 신경 쇠약 증세를 보이고 있었기 때문에 그 어떤 개라도 나타나면 경의 병든 심장에 치명적인 영향을 줄 수 있었을 것입니다. 제 생각에는 그 마지막 날 주목나무 산책로에서 찰스 경은 뭔가를 봤습니다. 저는 경을 존경했기 때문에 심장이 약하다는 것을 알고 있었고, 그래서 뭔가 불길한 일이 일어날까 봐 항상 걱정하고 있었습니다."

"그걸 어떻게 아셨어요?"

"모티머 씨가 얘기해줬거든요."

"그러니까 사건이 있던 날 어떤 개가 찰스 경을 뒤쫓아왔다, 그래서 경이 너무 놀라 사망했다는 얘기군요?"

"이보다 더 나은 가설이 있나요?"

"저는 아직 그 어떤 결론도 내리지 않았습니다."

"셜록 홈즈 씨는 어떤가요?

그 말에 나는 순간적으로 깜짝 놀랐다. 그러나 스테이플턴의 담담한 얼굴과 고정된 눈빛으로 그가 전혀 동요하고 있지 않는다는 것을 알 수 있었다.

"왓슨 선생님을 모르는 척하고 싶지는 않습니다. 두 분이 많은 사건을 해결하셨다는 얘기는 여기 시골에 있는 저희도 잘 알고 있습니다. 그걸 감춘 채 헨리 경을 도울 수는 없을 것입니다. 모티머 씨가 저에게 선생님 얘기를 했을 때 선생님이 누구신지 감출 수 없었거든요. 그리고 왓슨 선생님이 여기에 오셨다는 것은 셜록 홈즈 씨도 역시 이 사건에 흥미를 느끼고 있다는 것을 말하는 것이고요. 그래서 저는 자연스럽게 홈즈 씨가 어떤 생각을 하고 있는지 궁금했던 것입니다."

"그 질문에 대답할 수 없어 유감스럽네요."

"그분을 찾아뵙고 직접 물어봐도 될까요?"

"홈즈는 지금 런던에 있습니다. 다른 사건을 해결하고 있는 중입니다."

"아, 아쉽네요! 우리가 잘 모르는 부분들을 홈즈 씨가 환하게 밝혀주면 좋을 텐데요. 하지만 현재 하시는 조사에서 제가 도와드릴 부분이 있다면 언제든지 말씀해주세요. 선생님이 찾으시는 단서나 이번 사건을 조사하는 데 도움이 될 만한 것이 있다면 지금 당장이라도 지원해드리고 싶습니다."

"분명히 말씀드리지만 저는 여기 단순히 친구인 헨리 경을 방문하러 왔기 때문에 특별한 도움은 필요하지 않습니다."

"역시!" 스테이플턴이 감탄했다. "그렇게 조심스럽고 신중하신 태도를 충분히 이해합니다. 제가 무례한 부탁을 드린 것 같아 죄송합니다. 다시는 이 문제에 대해 언급하지 않겠다고 약속드리겠습니다."

우리는 좁은 풀밭 길에 이르렀다. 큰길에서 벗어나 있는 이 길은 황야를 가로질러 나 있었다. 오른쪽에는 수많은 바윗돌이 산재하고 경사가 심한 언덕이 있었는데, 그곳은 예전에 화강암 채석장이었다. 절벽처럼 언덕의 경사면이 우리 쪽을 향해 있었다. 경사면 사이사이에는 고사리와 나무딸기가 자라고 있었다. 저 멀리서 회색 깃털 같은 연기가 올라오는 것이 보였다.

"이 황야의 길을 따라 조금만 가면 머리핏 하우스가 나옵니다. 시간이 괜찮으시다면 선생님께 제 여동생을 소개시켜드리고 싶습니다."

얘기를 듣고 맨 처음 떠오른 생각은 빨리 헨리 경 곁으로 가야 한다는 것이었다. 하지만 이내 헨리 경의 집무실 책상 위에 잔뜩 쌓인 각종 서류 뭉치들이 떠올랐다. 그것은 내가 도와줄 수 있는 성격의 일들이 아니었다. 게다가 홈즈는 내가 황야 주변에 사는 이웃 사람들을 조사해야 한다고 강조했었다. 나는 스테이플턴의 초청을 받아들여 함께 길을 걷기 시작했다.

"황야는 멋진 곳입니다!" 스테이플턴이 물결치듯 펼쳐진 구릉과 길게 자란 풀, 톱니 모양의 화강암이 솟아 있는 환상적인 절벽을 올려다보면서 소리쳤다. "절대 황야에 싫증 나지 않으실 겁니다. 여기에 숨겨진 놀라운 비밀을 아마 상상도 못 하실 겁니다. 정말 광범위하고 삭막하면서도 괴이한 곳이거든요."

"이곳을 잘 아시나요?"

"저는 여기 온 지 2년밖에 되지 않았습니다. 이곳 사람들은 아직도 저를 신입 거주자라고 부르죠. 찰스 경이 이곳에 온 지 얼마 되지 않아 제가 왔습니다. 하지만 제 성격상 이 지역의 모든 곳을 탐험했죠. 제 생각에 저만큼 이곳을 잘 아는 사람도 아마 없을 겁니다."

"여긴 파악하기 어려운 곳인가요?"

"무척 어렵죠. 예를 들어 이 거대한 평원은 북쪽으로 향하고 있는데, 저 기이하게 생긴 언덕들이 가로막고 있죠. 뭔가 특별한 것이 눈에 보이시나요?"

"흔치 않게 말타기에 좋은 장소인 것 같습니다."

"그렇게 생각하시는 게 자연스럽죠. 하지만 이전에 그렇게 생각했던 몇몇 사람이 목숨을 잃었답니다. 저 위쪽에 유난히 푸르고 빽빽한 지역이 보이시나요?"

"네, 다른 지역보다 훨씬 비옥해 보이는군요."

"저곳은 그림펜 늪입니다." 스테이플턴이 웃으면서 대답했다. "저 근처에서 발을 헛디디면 사람이든 동물이든 죽습니다. 어제도 황야에 서식하는 조랑말 한 마리가 그 근처를 배회하다 빠져서 나오지 못했습니다. 조랑말은 한참 동안 늪에서 나오려고 발버둥 쳤지만, 결국 빠져 죽고 말았죠. 비가 오지 않는 건조한 시기에도 늪을 건너는 것은 위험합니다.

그러니 비가 많이 오는 이 가을이 지나고 나면 정말 최악의 장소가 될 겁니다. 그렇지만 전 늪의 중앙으로 들어가는 길을 알고 있어 살아 돌아올 수 있었습니다. 저런, 저기 불쌍한 조랑말이 한 마리 더 있네요!"

갈색의 뭔가가 늪 한가운데서 빠져나오려고 이리저리 몸을 비틀고 있었다. 괴로움에 몸부림치는 긴 목에서 터져 나온 끔찍한 울음소리가 황야 전체에 울렸다. 그 소리를 듣자 온몸에 소름이 돋았다. 하지만 스테이플턴의 배짱은 나보다 훨씬 좋아 보였다.

"사라졌네요! 늪이 삼켜버렸어요. 이틀 동안 두 마리, 아니 아마도 더 많이 죽었을 겁니다. 동물들은 건조한 시기면 그곳으로 모이거든요. 늪이 그 동물들을 움켜쥐고 삼키기 전까지는 다른 곳과의 차이를 절대 알 수 없지요. 정말 그림펜의 늪은 거대하고 끔찍합니다."

"하지만 스테이플턴 씨는 이곳을 지나갈 수 있다고 하셨잖아요?"

"네, 아주 건강한 사람이라면 건널 수 있는 한두 개의 통로가 있어요. 제가 발견했죠."

"그런데 어째서 저런 끔찍한 장소를 지나가려고 하시는 겁니까?"

"음, 저쪽에 언덕들 보이시죠? 저곳은 늪에 둘러싸여 섬처럼 고립돼 있습니다. 그렇게 여러 해 동안 방치돼왔죠. 그런데 저기에는 희귀 식물들과 나비들이 살고 있습니다. 그곳에 갈 수만 있다면 정말 대단한 일이죠."

"언젠가 한번 시도해봐야겠군요."

스테이플턴은 놀란 표정으로 나를 쳐다봤다. "절대 그런 생각은 하지 마십시오. 무척 위험합니다. 제가 말씀드리는데, 살아서 돌아올 확률이 거의 없습니다. 제가 알고 있는 특정한 위치에 있는 복잡한 표시를 기억하지 않는 한 힘들 겁니다."

"세상에, 이건 뭐죠?" 내가 소리쳤다.

길고 낮은 울음소리가 구슬프게 황야 위를 휩쓸었다. 그 소리는 허공 전체를 가득 메웠지만 어디서 나는지는 알 수 없었다. 희미한 중얼거림으로 시작해서 깊은 울음으로 커지더니 다시 우울한 소리로 바뀌면서 웅얼거림으로 변했다. 스테이플턴은 호기심이 가득 담긴 얼굴로 나를 쳐다봤다.

"황야는 정말 괴이한 곳이죠!" 그가 소리쳤다.

"이 소리는 대체 뭡니까?"

"이곳 사람들은 저것이 바스커빌의 사냥개가 먹이를 유혹하는 소리라고 부르죠. 전에 한두 번 들은 적이 있지만 오늘처럼 이렇게 크게 들리는 건 처음이군요."

나는 마음속 깊이 공포를 느끼며 주위를 둘러봤다. 완만하게 솟아 있는 넓은 평원에는 초록색 골풀이 얼룩처럼 여기저기 나 있었다. 광활한 공간을 휘젓는 이 소리가 무엇인지 도통 알 수가 없었다. 우리 뒤에 있는 바위산에서 까마귀 두 마리가 시끄럽게 울 뿐이었다.

"스테이플턴 씨는 교육을 받은 분 아니신가요? 설마 그런 말도 안 되는 얘기를 믿으시는 건 아니겠죠? 이 이상한 소리의 정체가 정말 무엇이라고 생각하십니까?"

"늪이 가끔 이상한 소리를 만듭니다. 흙이 무너지거나 물이 솟아나거나 할 때요."

"아니요, 그건 아닙니다. 분명 살아 있는 뭔가의 목소리였어요."

"글쎄요, 아마도… 혹시 알락해오라기 우는 소리를 들어보셨나요?"

"아뇨, 들어본 적 없습니다."

"굉장히 희귀한 새입니다. 실질적으로 영국에서는 멸종된 새죠. 하지만 이 황야에서는 모든 것이 가능합니다. 저희가 들은 것이 이 세상 마지막으로 남은 알락해오라기의 울음소리라고 해도 전 아마 놀라지 않을 겁니다."

"그 소리는 제가 지금까지 들어본 것 중 가장 이상하고 신기한 소리였습니다."

"맞습니다. 전체적으로 아주 신비스러운 곳이죠. 저쪽의 언덕 비탈을 좀 보십시오. 무엇처럼 보이나요?"

"저게 뭐죠? 양을 가두는 우리인가요?"

"아닙니다. 옛날 우리 조상들이 살던 집입니다. 선사 시대 사람들은 이 황야 주변에 모여 살았습니다. 그 이후로는 특별히 이곳에 산 사람이 없죠. 우리는 그들이 살던 흔적 그대로 남아 있는 모든 것을 발견했습니다. 저것들은 그들이 살던 지붕이 없는 오두막입니다. 안으로 들어가 보면 화로와 심지어 잠자리까지 볼 수 있습니다."

"마을이라고 할 만하군요. 언제쯤 사람이 살았을까요?"

"아마 신석기 시대쯤? 알 수가 없습니다."

"그들은 어떻게 살았을까요?"

"그들은 이곳 언덕에서 소를 방목하고 청동검이 돌도끼를 대체하기 시작하면서부터 주석을 캐내는 방법을 알게 되었습니다. 저 반대편 언덕의 커다란 참호를 보세요. 저게 조상들의 흔적이에요. 찾아보시면 황야에는 매우 특이한 점들이 많습니다, 왓슨 선생님. 오, 잠깐만 실례할게요. 이건 분명 사이클로피데스군요."

작은 파리 혹은 나방이 날갯짓을 하며 우리 앞을 가로질러

갔다. 순식간에 스테이플턴은 놀라운 에너지와 속도로 그것을 쫓았다. 알 수 없는 생명체가 곧장 거대한 늪으로 날아가자 나는 당황했다. 하지만 스테이플턴은 그 순간에도 추격을 멈추지 않고 초록색 포충망으로 허공을 가르면서 이쪽 덤불에서 저쪽 덤불로 폴짝폴짝 뛰었다. 회색 옷을 입고 지그재그로 이리저리 불규칙하게 움직이는 모습이 마치 거대한 나방처럼 보였다. 나는 그 자리에 서서 그의 추격을 복잡한 심정으로 바라봤다. 스테이플턴의 놀라운 활동성에 찬사를 보내면서도 한편으론 발을 잘못 디뎌 위험한 늪에 빠지면 어쩌나 걱정이 되었다. 그러던 중 발자국 소리가 들려 돌아보니 길가에 웬 여자가 한 명 서 있는 게 보였다. 그녀는 머리핏 하우스가 있는 지역에서 올라오는 깃털 같은 연기가 나는 쪽에서부터 걸어왔다. 그녀가 움푹 파인 황야의 길을 걸어왔기 때문에 가까이 올 때까지도 존재를 알아채지 못한 것이다.

나는 그녀가 전에 들은 적이 있는 스테이플턴의 여동생이라는 것을 금방 알 수 있었다. 황야에서 이런 스타일의 여성은 매우 드물고, 누군가 그녀의 미모에 대해 얘기한 것을 기억하고 있었기 때문이다. 내게 다가온 여성은 확실히 내 기억과 일치했고 무척 특이한 유형이었다. 오빠와 여동생이 이토록 대조적인 경우는 드물 것이다. 스테이플턴은 피부색이 연한 회색이고 금발에 눈이 회색인 반면, 동생은 내가 영국에서 본 그 어떤 여성보다 머리카락이 검고 날씬하며 우아하고 키가 컸다. 그런데 여자는 자부심이 느껴지는 또렷한 이목구비에 지

SP

나치게 단정한 모습이어서, 생기 있는 입술과 아름답게 빛나는 검은 눈이 아니었더라면 감정이 없는 사람처럼 보일 것 같았다. 뛰어난 외모와 우아한 드레스 차림의 그녀는 쓸쓸한 황야의 길 위에 나타난 기이한 유령처럼 보였다. 내가 돌아섰을 때 그녀의 눈은 오빠를 쫓고 있었다. 스테이플턴의 여동생은 빠르게 내게 다가왔다. 나는 정식으로 인사를 할 생각으로 모자를 벗으려고 했는데, 그녀의 입에서 나온 말이 그런 생각을 완전히 다른 방향으로 돌려세웠다.

"돌아가세요, 지금 즉시. 곧장 런던으로 돌아가세요."

나는 너무 놀라 멍청한 표정으로 여자를 바라볼 수밖에 없었다. 그녀는 격앙된 눈으로 나를 바라보며 조급한 듯 발을 굴렀다.

"왜 내가 돌아가야 하나요?" 내가 물었다.

"설명할 순 없어요." 여자는 간절함이 담긴 낮은 목소리로 대답했는데, 이상하게 말투가 어색했다. "하지만 제발 제 말대로 하세요. 돌아가시고 다시는 황야에 오지 마세요."

"하지만 전 그냥 온 겁니다."

"이보세요, 이봐요. 지금 당신을 위해서 경고하고 있는 거예요. 런던으로 돌아가세요! 오늘 밤 당장! 무슨 일이 있어도 여기서 벗어나세요! 쉿, 저기 오빠가 오고 있어요. 제가 한 말은 못 들은 척해주세요. 실례가 안 된다면 저기 쇠뜨기말 뒤편에 있는 난초를 좀 꺾어주시겠어요? 황야에는 난초가 아주 많거든요. 하긴 이곳의 아름다움을 보기에는 너무 늦었군요."

스테이플턴은 정신없이 감행했던 추적을 끝내고 숨을 헐떡이며 홍조 띤 얼굴로 돌아왔다.

"어, 베릴!" 스테이플턴이 동생을 보고 인사했지만, 그의 말투는 전체적으로 매우 어색했다.

"잭 오빠, 무척 더워 보이네요."

"맞아, 사이클로피데스를 쫓고 있었거든. 희귀종인 데다 이런 늦가을에는 더욱 보기 어려운데, 놓쳐서 정말 너무 아까워!" 태연한 척 말하고 있었지만 빛나는 그의 작은 눈은 끊임없이 나와 여동생을 번갈아 훔쳐보고 있었다.

"저쪽에서 보니 벌써 인사를 나눈 것 같더구나."

"맞아요. 지금 헨리 경에게 황야의 진정한 아름다움을 보기에는 너무 늦었다고 얘기하고 있었어요."

"누구? 지금 누구라고 했어?"

"나는 이분이 헨리 바스커빌 경이라고 생각했는데…."

"아니, 아닙니다." 내가 끼어들었다. "저는 그저 평범한 서민일 뿐입니다. 물론 헨리 경의 친구이고요. 저는 의사인 왓슨입니다."

그녀의 아름다운 얼굴이 난처함으로 붉게 물들었다. "제가 사람을 잘못 보고 얘기를 했군요."

"음, 별로 얘기할 시간이 없었구나." 그녀의 오빠는 여전히 의심스러운 눈으로 바라보며 말을 받았다.

"저는 왓슨 선생님이 이곳에 처음 오신 분인 줄 모르고 얘기했습니다. 그렇다면 지금이 난초를 보기에 너무 이른 시기인지 아니면 늦었는지는 큰 문제가 안 되겠군요. 하지만 이쪽으로 오세요. 머리핏 하우스를 보여드릴게요."

조금 더 걸어가자 머리핏 하우스가 나왔다. 집은 을씨년스러워 보였다. 예전에 한창 번창하던 시기에 목축업자들이 농장으로 사용했던 곳이다. 현재는 수리를 해서 좀 더 현대적인 거주지로 바뀌었다. 집 주변은 황야에서 흔히 볼 수 있는 나무들이 심긴 과수원이 둘러싸고 있었다. 나무들은 성장 상태가 좋지 않아 시들해 보였다. 이런 이유 때문에 전체적인 분위기는 스산하고 우울했다. 마치 집 분위기와 맞추기라도 한 듯 주름살이 많고 뭔가 어색한 느낌을 주는 이상한 하인이 우리를 맞았다. 외형과 달리 집에는 넓은 방들이 있었고, 방 안에는 숙녀의 세련된 감각을 느낄 수 있는 우아한 가구들이 배치돼 있었다. 창문을 통해 화강암이 얼룩처럼 여기저기 박힌 채 저 멀리 지평선까지 완만하게 펼쳐진 황야가 보였다. 고등교육을 받은 남자와 아름다운 여자가 왜 이런 곳에 사는지 이유는 알 수 없지만 상당히 의외의 일이었다.

"저희가 정말 이상한 곳에 살고 있죠?" 스테이플턴이 내 생각에 대답이라도 하듯 말을 내뱉었다. "하지만 우리는 여기서 아주 행복하게 살고 있습니다. 안 그래, 베럴?"

"그럼요, 행복하죠." 여동생이 동의했지만 목소리에서는 생기가 느껴지지 않았다.

"저는 북부에서 학교를 운영했었죠." 스테이플턴이 설명하기 시작했다. "저와 같은 성격의 사람에게 학교 운영은 단순하고 별 흥미가 없었지만, 어린 학생들과 생활할 수 있어서 좋았습니다. 학생들이 공부하는 것을 돕고, 성격 형성에 영향을 주는 특권을 누렸죠. 그런 교육에 대한 저의 이상은 매우 소중한 것이었습니다. 하지만 큰일이 생겼습니다. 학교에 심각한 전염병이 발생해 학생 세 명이 죽은 겁니다. 그 충격에서 벗어날 수가 없었고 제가 가지고 있던 돈도 대부분 날렸죠. 만약 학생들이 죽지만 않았더라도 재산을 날린 것쯤은 식물과 동물을 연구하면서 쉽게 잊을 수 있었을 겁니다. 그 이후 여기로 이주해 아무런 제한 없이 연구를 하고 있고, 제 동생도 저만큼이나 자연을 사랑합니다. 왓슨 선생님, 이것이 선생님이 저희 집 창문을 통해 황야를 바라보면서 떠올리셨을 생각에 대한 답변입니다."

"이곳 생활이 지루하지 않을까 하는 생각이 들기는 했습니다. 스테이플턴 씨가 아니라 여동생분에게 말입니다."

"전혀요, 전 지루하지 않아요." 여동생이 재빨리 대답했다.

"여긴 책도 많고, 연구할 것도 많습니다. 무엇보다 재미있는 이웃이 있죠. 모티머 씨는 의학 계통의 전문가고, 돌아가신 찰스 경도 아주 좋은 분이셨어요. 우리는 무척 친했기 때문에 그분이 많이 그립습니다. 혹시 오늘 오후에 제가 헨리 경을 찾아뵙고 인사를 드리면 실례가 될까요?"

"그렇게 한다면 경이 아주 기뻐하실 겁니다."

"그렇다면 선생님께서 제가 그렇게 하고 싶어 한다고 전해주세요. 그러면 헨리 경이 새로운 주변 환경에 익숙해질 때까지 저희가 조금이나마 도움을 드릴 수 있을 겁니다. 위층으로 올라가셔서 제 나비 표본을 구경하시겠습니까? 왓슨 선생님, 그 표본에는 영국 서남부 지역 대부분의 나비가 있습니다. 표본을 보시면서 잠시 시간을 보내시는 동안 금방 점심 식사를 준비하겠습니다."

하지만 나는 조금이라도 빨리 저택의 내 방으로 돌아가고 싶었다. 음습한 분위기의 황야, 불행한 조랑말의 죽음, 바스커빌의 끔찍한 전설과 연관이 있는 그 괴이한 소리 등. 모든 것이 뒤섞여 조금 심란했기 때문이다. 이런 막연한 여러 일 중에서도 특히 스테이플턴의 여동생이 한 경고는 분명하게 의미 있는 것이었다. 그토록 강렬하게 진심을 담아 얘기한 뒷면에는 무언가 중요하고 결정적인 이유가 있을 것이다. 나는 점심을 먹고 가라는 요청을 뿌리치고 집을 나왔다. 곧장 우리가 지나왔던 풀밭 길을 따라 저택을 향해 걷기 시작했다.

그러나 그곳에는 아는 사람만 아는 지름길이 있는 모양이었다. 내가 큰길로 접어들기도 전에 길 한쪽의 바위 위에 스테이플턴의 여동생이 앉아 있어 깜짝 놀랐다. 뛰어왔는지 그녀는 얼굴 가득 홍조를 띤 채 팔짱을 끼고 있었다.

"왓슨 선생님을 따라잡기 위해 계속 뛰어왔어요. 모자를 챙겨 쓸 시간조차 없이요. 여기 오래 있을 수는 없어요. 오빠가 곧 저를 찾을 거예요. 제가 선생님을 헨리 경으로 착각하고 했던 실수에 대해 사과드리고 싶었어요. 제가 한 말들은 잊어주세요. 그건 선생님과는 전혀 상관이 없습니다."

"그러나 저는 잊을 수 없을 것 같군요. 저는 헨리 경의 친구입니다. 당연히 그의 안전은 저에게 매우 중요합니다. 왜 헨리 경에게 런던으로 돌아가라고 그토록 간절하게 얘기했는지 이유를 말씀해주세요."

"여자의 직감입니다, 왓슨 선생님. 저를 좀 더 알게 되시면 제가 한 말이나 행동에 대해 다 설명할 수 없다는 것을 이해하실 거예요."

"아뇨, 못 할 겁니다. 분명 스테이플턴 양의 목소리에는 절박함이 담겨 있었어요. 당신의 긴장한 눈빛도 분명하게 기억납니다. 제발 솔직하게 얘기해주세요, 스테이플턴 양. 제가 여기 온 이후로 언제나 제 주변에 뭔가가 따라다니는 느낌을 받았습니다. 여기서의 생활은 마치 그림펜 늪 같더군요. 늪 속으로 가라앉을 수도 있는 작은 단서들이 여기저기 사방에 널려 있지만, 아무도 거기에 가 닿을 수 있는 길을 가르쳐주지 않네요. 부디 아까 하신 말씀이 무슨 뜻인지 얘기해주세요. 제가 반드시 헨리 경에게 그 경고를 전달해드리겠습니다."

잠깐 동안 그녀의 얼굴에 망설임이 스쳐 지나갔다. 하지만 그녀는 곧 마음을 단단히 먹고 대답했다.

"너무 생각이 많으시군요, 왓슨 선생님. 저와 오빠는 찰스 경의 죽음으로 상당히 큰 충격을 받았습니다. 그분은 황야를 지나 저희 집까지 오시는 길을 아주 좋아하셨기 때문에 우리는 매우 친하게 지냈거든요. 찰스 경은 당신 가문에 드리워진 저주를 상당히 심각하게 생각했어요. 그분이 돌아가셨을 때 저는 분명히 알 수 있었어요. 그분이 그토록 두려워했던 데에는 뭔가 분명한 이유가 있다는 사실을요. 그래서 그 가문의 또 다른 사람이 다시 여기에 온다면, 곧 닥치게 될 위험에 대해 경고를 해야 한다고 생각했습니다. 이것이 제가 말씀드리고 싶었던 전부입니다."

"하지만 무엇 때문에 위험하죠?"

"그 사냥개에 대한 전설을 아시잖아요?"

"전 그런 미신을 믿지 않습니다."

"전 믿어요. 만약 선생님이 헨리 경의 친구라면 항상 치명적으로 위험한 일이 발생하는 그 저택에서 그분을 데리고 나와 멀리 가세요. 갈 곳은 많을 거예요. 헨리 경이 그렇게 위험한 곳에서 살 이유가 없잖아요?"

"그곳이 위험하기 때문입니다. 헨리 경은 그런 분이에요. 당신이 지금보다 좀 더 분명한 얘기를 해주지 않는다면, 제가 그분을 다른 곳으로 데려갈 수가 없습니다."

"이 이상 분명한 말씀을 해드릴 수가 없어요. 저 역시도 더 이상은 분명하게 아는 것이 없습니다."

"한 가지만 더 얘기해주세요, 스테이플턴 양. 아까 하신 말씀이 그런 뜻이었다면, 맨 처음 저한테 얘기하실 때 왜 당신의 얘기를 오빠가 들을까 봐 걱정하셨죠? 오빠나 다른 사람이 들어도 괜찮은 얘기잖아요."

"오빠는 바스커빌 저택에 누군가 살기를 간절하게 바라고 있어요. 그래야 황야의 가난한 사람들에게 도움이 된다고 생각하거든요. 만약 제가 헨리 경에게 떠나라고 한 얘기를 들었다면 오빠는 엄청 화를 냈을 거예요. 이제 저는 제가 하고 싶은 말을 다했습니다. 더 이상 여기 있을 수 없어요. 돌아가야 해요. 그렇지 않으면 오빠가 제가 선생님을 만났다고 의심할 거예요. 조심해서 가세요." 스테이플턴 양은 인사를 하고 잠시 후 여기저기 흩어져 있는 바위틈 사이로 사라졌다. 바스커빌 저택으로 돌아가는 내내 나는 막연한 불안감에 사로잡혔다.

8
왓슨 박사의 첫 번째 보고

여기서부터 앞으로의 사건에 대한 소개는 지금 내 앞 책상 위에 놓여 있는 셜록 홈즈에게 보냈던 편지를 인용하겠다. 한 장이 어디론가 사라지기는 했지만, 이것은 내가 당시 직접 썼기 때문에 지금의 기억보다 훨씬 정확하게 그 비극적인 사건에 대한 내 느낌과 생각들을 보여줄 것이다.

바스커빌 저택에서, 10월 13일. 홈즈에게.

앞에 보낸 편지와 전보를 통해 이 신에게 버림받은 세상의 한쪽 구석에서 일어나고 있는 모든 일에 관한 최근 소식을 아주 자세히 알고 있을 걸세. 여기에 오래 머물수록 황야의 기운이 사람의 영혼 속으로 더 깊이 파고들어 영향을 준다네. 광대하고 소름 끼치는 마력 같은 기운이지. 누구든 한번 거기에 빠지면 현대적인 모든 생활 방식을 뒤로 밀쳐버리게 된다네. 그리고 선사 시대에 살았던 사람들의 집과 흔적을 모든 곳에서 목격하게 되지. 이곳을 산책하면서 보면 모든 곳에 옛날 사람들의 집과 그들의 무덤 그리고 아마도 그들의 신전이었던 것으로 추정되는 거대한 암석이 있어. 산기슭 여기저기에 산재해 있는 회색 돌로 지어진 오두막을 보면 사람의 나이를 잊어버리게 될 걸세. 만약 자네가 가죽옷을 입고 온몸에 털이 많은 사람들이 그 오두막의 낮은 문을 열고 나오면서 끝이 뾰족한 화살을 활시위에 거는 장면을 본다 해도, 자네가 이곳에 온 것보다 더 자연스럽다고 느낄 거야. 이해 안 되는 점은 1년 내내 언제나 척박한 이 땅에 그들이 왜 그토록 많이 모여 살았나 하는 것이네. 나는 옛날 일에 관심이 많은 사람은 아니지만, 내 생각엔 아마 그들은 평화적인 사람들로, 싸움에 져서 어쩔 수 없이 아무도 살지 않는 이 땅에 강제로 살게 된 것이 아닌가 싶네. 하지만 이 모든 것은 자네가 나를 여기로 보낸 임무와는 무관한 일이고, 자네의 매우 실용적인 성향을 생각할 때 아마 아무런 흥미도 느끼지 못하는 일이겠지. 나는 자네가 태양이 지구 주변을 도는지, 아니면 지구가 태양 주변을 도는지에 대해 아무런 관심도 없다는 것을 지금도 기억하고 있다네. 그러니 이제 우리의 주요 관심사인 헨리 바스커빌 경에 관한 얘기를 해보세.

최근 며칠 동안 자네가 아무런 보고도 받지 못했다면 그것은 오늘까지 이곳에서 아무런 중요한 일도 일어나지 않았기 때문이네. 그런데 아주 놀라운 일이 생겼다네. 이제부터 시간 순서에 따라 얘기를 해보겠네. 하지만 우선 그 상황과 관련해 몇 가지 다른 사실부터 이야기해야겠군.

언젠가 잠시 얘기했듯이 여기 황야에는 최근 탈옥한 죄수가 있다네. 그자가 어디론가 도망쳤다는 확실한 증거가 있지. 사실 그자가 사라진 것은 이 지역 여기저기에 흩어져 사는 사람들이 안심할 수 있어서 무척 다행스러운 일이네. 탈옥한 지 2주가 지났지만 아무도 그자를 본 사람이 없고, 그자에 대한 어떠한 소문도 없다네. 그 기간 동안 그자가 황야에서 살아남았다는 사실은 정말 믿기 어려운 일이네. 지금까지 그가 어디에 숨어 있는지 알려진 것은 전혀 없다네. 어쩌면 저 돌 오두막 중에 하나가 그자의 은신처일지도 모르지. 그러나 탈주범이 황야의 양을 잡아먹지 않는 한 그곳에는 먹을 것이 전혀 없다네. 아무튼 외진 지역에 떨어져 살고 있는 농부들은 밤에 잠을 편히 잘 수 있게 되었지.

이 저택에는 네 명의 성인이 있기 때문에 우리 자신을 지키는 데 아무런 걱정이 없네. 하지만 스테이플턴 남매를 생각하면 불안한 마음이 생기는 것이 사실이야. 그들은 따로 떨어져 살고 있어 주변에 도와줄 만한 사람이 없다네. 그 집에는 늙은 하인 한 명과 여동생 그리고 스테이플턴이 사는데, 그는 강한 남자가 아니거든. 그래서 만약 노팅힐 사건을 저지른 그 탈옥수처럼 자포자기한 놈이 그 집에 들이닥친다면 매우 위험할 걸세. 헨리 경과 나 역시 그런 상황을 걱정해 마부 퍼킨스를 밤에 그 집에 보내 함께 자도록 하자고 제안했지만, 스테이플턴이 들은 척도 하지 않았다네.

사실 헨리 경 역시 우리의 먼 이웃에게 상당한 관심을 보이기 시작했네. 그도 그럴 것이 헨리 경처럼 활동적인 사람이 이처럼 외진 지역에서 시간을 보내는 건 고역이거든. 게다가 스테이플턴의 여동생은 매우 매혹적이고 아름답다네. 그녀에게는 열정적이고 독특한 매력이 있어. 차갑고 별 감정이 없어 보이는 오빠와는 매우 대조적이지. 하지만 스테이플턴에게도 뭔가 감춰진 것이 있는 것 같네. 스테이플턴은 여동생에게 커다란 영향력을 가지고 있는 것 같더군. 나는 여동생이 얘기를 할 때마다 계속 오빠를 힐끔거리며 자신이 그런 얘기를 해도 되는지 허락을 구하는 모습을 여러 차례 봤어. 분명히 그 남자는 그런 사람이라네. 스테이플턴의 눈은 날카롭게 반짝이고 입술에는 단호함이 어려 있어. 어쩌면 이것은 스테이플턴의 억압적이고 거친 성격을 보여주는 것일지도 모르지. 자네도 스테이플턴에게서 흥미로운 면을 찾을 수 있을 것이네.

스테이플턴은 우리가 만난 그다음 날 아침 바로 바스커빌 저택을 찾아왔다네. 그리고 다음 날 나와 헨리 경을 사악한 휴고 바스커빌의 전설이 시작된 곳으로 데리고 가 보여주었지. 황야를 몇 킬로미터쯤 가로질러 가면 있는데, 그런 전설의 발생지라고 암시라도 하듯 매우 음산한 곳이었네. 우리는 울퉁불퉁한 바위산 사이에 있는 짧은 계곡을 발견했는데, 계곡은 하얀 황새풀이 여기저기 나 있는 풀밭으로 연결되어 있더군. 풀밭의 한가운데에는 거대한 돌기둥 두 개가 있어. 돌기둥의 윗부분은 비바람에 날카롭게 깎였는데, 마치 무시무시한 괴물의 거대한 송곳니처럼 생겼다네. 모든 면에서 그곳은 그 옛날 비극의

SP

장면이 떠오르는 곳이었어. 헨리 경은 큰 관심을 보이며 스테이플턴에게 정말로 그런 초자연적인 현상이 인간사에 간섭할 가능성이 있다고 믿느냐고 여러 차례 묻더군. 경은 가볍게 묻는 듯했지만 이 젊은 준남작이 진심으로 궁금해한다는 것을 느낄 수 있었다네. 스테이플턴은 조심스럽게 대답하더군. 하지만 자기가 생각하고 있는 것을 다 말하지 않았고, 헨리 경에 대해 가지고 있는 걱정에 대해서는 전혀 말하지 않았다는 것을 쉽게 알 수 있었지. 스테이플턴은 우리에게 한 가문이 어떤 사악한 힘 때문에 고통받았다는 비슷한 사건을 얘기해주었다네. 그러면서 그 사건에 대한 대중적인 의견에 동의한다는 뜻을 내비추더군.

돌아오는 길에 우리는 머리핏 하우스에 들러 점심을 먹었네. 그때 헨리 경이 스테이플턴 양을 처음 알게 되었지. 헨리 경은 그녀를 처음 본 순간부터 강하게 매료되어 관심을 나타냈고, 그녀 역시도 헨리 경에게 상당한 호감을 보였어. 저택으로 돌아가는 길에 헨리 경은 여러 차례 그녀를 언급했고, 그 이후로 그 남매를 보지 않고 그냥 지나간 날이 단 하루도 없을 정도라네. 오늘 밤 저택에서 다 함께 저녁을 먹으면서 다음 주에 또 방문하자는 얘기를 나누는 식이지. 사람들은 그 둘의 만남을 스테이플턴이 매우 환영할 거라고 생각하겠지만, 헨리 경이 여동생에게 관심을 보일 때 스테이플턴이 매우 못마땅한 표정을 짓는 것을 나는 여러 차례 보았다네. 스테이플턴이 여동생에게 매우 집착하고 있다는 것은 의심할 여지가 없어. 여동생이 없다면 스테이플턴은 외로운 삶을 살게 되겠지. 하지만 여동생이 성대한 결혼을 향해 가는 길을 막는다면 그것은 매우 이기적인 행동이야. 그러나 두 사람이 친밀해져 사랑에 빠지는 것을 스테이플턴이 바라지 않는다는 사실은 분명하네. 나는 스테이플턴이 헨리 경과 여동생이 단둘이 만나지 못하도록 애쓰는 것을 여러

번 목격했거든. 그래서 말인데, 헨리 경 혼자 절대 밖으로 나가지 못하게 하라는 지시는 점점 지키기 어려워질 것 같아. 두 사람이 사랑에 빠지면 그런 얘기가 제대로 들리겠나. 내가 자네의 말을 곧이곧대로 전한다면 내 입장이 많이 곤란해질 걸세.

요 전날, 정확히는 목요일에 모티머 씨와 우리는 함께 점심을 먹었다네. 최근 롱 다운 지역의 고분을 발굴하던 중 선사 시대 사람의 두개골을 발견했다고 아주 좋아하더군. 그처럼 오직 한 가지 일에만 열정을 쏟는 사람도 드물 걸세. 잠시 후 스테이플턴 남매가 왔는데, 헨리 경이 요청하자 모티머 씨가 우리를 주목나무 산책로로 데리고 가서 비극적인 그날 밤 일어

난 모든 일들을 아주 상세히 들려주었다네. 주목나무 산책로는 길고 음산한 길이더군. 양쪽으로 꽤 높은 울타리가 쳐져 있고, 그 밑에는 양편으로 좁은 풀밭 길이 나 있네. 저 멀리 산책로의 끝에는 다 쓰러져가는 여름 별장이 있고, 중간쯤에 찰스 경의 담뱃재가 떨어져 있던 황야로 나가는 문이 있네. 빗장이 쳐져 있는 하얀 나무문이더군. 문 뒤로는 넓은 황야가 펼쳐져 있지. 그 사건에 대한 자네의 가설을 바탕으로 나는 그곳에서 벌어진 일을 상상해봤다네. 찰스 경이 여기 서 있다가 황야를 가로질러 달려오는 뭔가를 보고 기겁을 해서 이성을 잃고 공포에 질려 지쳐서 죽을 때까지 달리고 또 달렸다. 찰스 경은 길고 음산한 터널 아래를 지나 달렸지. 무엇을 보고 도망쳤을까? 황야의 양치기 개? 아니면 검은색의 소리 없이 다가오는 무시무시한 유령 사냥개? 이 사건에 사람이 관여한 부분은 없었을까? 창백한 얼굴의 신중한 배리모어는 자신이 얘기한 것보다 더 많은 것을 알고 있지는 않을까? 모든 것이 흐릿하고 막연했다네. 그러나 항상 범죄의 이면에는 어두운 그림자가 있기 마련 아닌가.

지난번 편지 이후 내가 만난 또 다른 이웃은 래프터 저택에 사는 프랭클랜드 씨라네. 우리가 있는 곳에서 남쪽으로 7킬로미터 정도 떨어진 곳에 살고 있지. 나이가 많고 붉은 얼굴에 머리는 백발이고 화를 잘 내는 성격이라네. 법에 매우 관심이 많고 아주 많은 돈을 소송하는 데 썼더군. 이 괴팍한 노인은 싸움 자체에 재미를 즐기는 사람이라 자신이 소송을 당하는 일도 개의치 않는다네. 비싼 대가를 치르는 오락을 하는 셈이지. 종종 프랭클랜드 씨는 도로를 폐쇄하고 행정 당국이 도로를 개통하지 못하도록 도전을 하기도 해. 그러면서도 본인은 다른 사람의 통행로에 설치된 문을 부수고는 이 길은 아득한 옛날부터 존재했었다고 주장하면서 땅 주인이 자신을 불법 침입으로 고소하는 것에 이의를 제기한다네. 그런가 하면 옛날 장원 제도와 공동 사용 권리에 대해 잘 알고 있는데 때로는 이 지식을 펜워디 마을 주민의 편에 서서 사용하고, 때로는 그 주민들과 맞서 싸우는 데 사용하기도 하지. 그래서 프랭클랜드 씨가 가장 최근에 한 일에 따라 주기적으로 의기양양하게 마을 거리를 돌아다니기도 하고, 반대로 그의 인형이 불태워지기도 한다네. 현재도 일곱 개의 법률 소송에 휘말려 있다고 하더군. 아마도 소송으로 남은 재산조차 몽땅 날리고 말 거야. 그렇게 되면 그 노인의 독기는 빠지고 장차 아무것도 남지 않게 되겠지. 이런 부분만 제외하면 친절하고 성격이 좋은 사람이라네. 이 사람에 대해 얘기하는 것은 자네가 특별히 우리 주변에 있는 사람들에 대해 자세히 알려달라고 했기 때문일세. 프랭클랜드 씨는 요즘 재미난 일을 하고 있다네. 아마추어 천문학자가 되어 자기 집 옥상에 성능 좋은 망원경을 설치해놓고 혹시나 탈옥한 죄수를 발견하지 않을까 하는 희망에 하루 종일 황야를 관찰하고 있지. 자신의 넘치는 에너지를 이와 같이 좋은 일에만 사용한다면 좋을 텐데, 들리는 소문에 의하면 프랭클랜드 씨는 친척들의 동의 없이 무덤을 파헤쳤다는 이유로 모티머 씨를 고소하려고 준비하고 있다네. 앞서 얘기했듯이 모티머 씨가 롱 다운의 고분에서 신석기 시대 사람의 두개골을 하나 발굴했거든. 사실 선생의 행동은 이곳의 단조로운 생활 속에서 사람들에게 재미를 주는 역할을 한다네. 그런 재미야말로 여기서 절대적으로 필요한 것이지.

탈옥수에 관한 일부터 스테이플턴, 모티머 씨, 래프터 저택의 프랭클랜드 씨까지, 할 얘기는 다했네. 마지막으로 가장 중요하고, 배리모어에 대해 더 자세히 알 수 있는 얘기를 하겠네. 특히 어젯밤에 아주 놀라운 일이 있었지.

먼저 전보에 대해 얘기하겠네. 우리가 런던에 있을 때 자네가 배리모어가 정말로 당시 여기에 있었는지 확인하기 위해 보낸 전보 말일세. 내가 이미 설명했듯이 우체국장의 증언에 따르면 그 테스트는 별 성과가 없었네. 우리는 배리모어가 여기 있었는지 없었는지 알 수가 없었어. 내가 헨리 경에게 이 얘기를 하자, 직설적인 성격답게 바로 배리모어를 불러 직접 그 전보를 받았는지 여부를 물었다네. 배리모어는 그랬다고 대답하더군.

헨리 경이 다시 "우편배달부 소년이 당신 손에 직접 전해주었나요?"라고 물었어.

배리모어는 놀란 표정이 되더니 잠깐 동안 고민하다가 대답했다네.

"아닙니다. 저는 당시 위층에 있어서 제 아내가 전보를 가지고 올라왔습니다."

"그럼, 배리모어 씨가 직접 답변을 했나요?"

"아닙니다. 제가 아내에게 어떻게 답변을 쓰라고 얘기했고, 아내가 내려가 그렇게 썼습니다."

그런데 저녁에 배리모어가 스스로 이 문제를 다시 꺼내는 게 아니겠는가.

"헨리 경께서 오늘 아침에 하신 질문의 의도를 정확히 이해할 수가 없습니다. 저는 제가 경의 신뢰를 손상시키는 그 어떤 일도 하지 않았다고 믿습니다."

헨리 경은 그런 것이 아니라고 배리모어를 안심시키고 달래기 위해 옛날 옷 중에서 쓸 만한 것을 한 벌 주었다네. 런던에서 새로 산 옷들이 지금은 모두 도착했거든.

배리모어 부인도 무척 흥미로워. 부인은 체격이 크고 단단한 사람일세. 절제되고 상당히 존경스러운 청교도적인 면이 있지. 아마도 그녀처럼 감정을 드러내지 않는 사람을 찾기는 힘들 거야. 그런데 내가 얘기했듯이 여기 온 첫날 밤 그녀가 심하게 우는 소리를 들었다네. 그 이후로도 부인의 얼굴에 난 눈물 자국을 여러 차례 봤지. 어떤 깊은 슬픔이 그녀의 가슴속에 있는 것 같아. 나는 가끔 부인을 괴롭히는 그것이 무엇인지 궁금하다네. 그래서 종종 배리모어가 폭력적인 남편이 아닐까 의심하기도 해. 나는 항상 그에게서 어떤 특이하고 의심스러운 면이 있다고 느꼈는데, 지난 밤 배리모어의 대담한 행동이 나의 이런 모든 의심을 더욱 크게 만들었지. 그렇지만 이것은 여전히 본질적으로는 작은 문제인 것 같네.

자네도 알다시피 나는 깊이 잠드는 편이 아니야. 그런데 이 저택에 와서 신경이 곤두선 이후로는 이전에 비해 더욱 쉽게 잠을 깬다네. 어젯밤에도 새벽 2시쯤 내 방을 지나가는 조심스러운 발소리에 놀라 잠이 깼지. 침대에서 일어나 문을 열고 내다봤더니 기다란 검은 그림자가 복도를 지나가고 있더군. 그것은 분명 손에 촛불을 든 남자가 조심스럽게 복도를 걸어가는 모습이었네. 그는 셔츠와 바지는 입었지만 신발은 신지 않았어. 나는 겨우 그림자의 윤곽을 알아볼 수 있었는데, 키로 봐서 분명 배리모어였다네. 그 남자는 천천히 매우 조심스럽게 걸어가더군. 그의 전체적인 모습에서 설명할 수는 없지만 뭔가를 은밀하게 감추고 있다는 느낌을 받았다네.

전에 얘기했듯이 그 복도는 둘로 나뉘어 있고 발코니가 저택을 감싸고 빙 둘러 있네. 나는 배리모어가 시야에서 사라질 때까지 기다렸다 그를 쫓아갔어. 내가 발코니에 이르렀을 때 그는 저 멀리 복도 끝쯤에 있었네. 그 남자가 어떤 방으로 들어가려고 문을 열었을 때 안에서 새어 나온 깜빡이는 불빛을 통해 그를 볼 수 있었지. 지금 모든 방에는 가구도 없고 거주자도 없기 때문에 집사의 행동은 더욱 의심스럽기만 했다네. 불빛이 계속 비추고 있었는데, 배리모어는 마치 정지한 사람처럼 가만히 서 있더군. 나는 최대한 소리를 내지 않고 조심스럽게 복도를 기어 문 한쪽에서 안을 훔쳐보았네.

배리모어는 촛불을 유리에 기대 세워두고 창문 앞에 몸을 숙이고 서 있었네. 옆얼굴이 내 쪽을 향해 있었는데, 컴컴한 황야를 응시할 때 배리모어의 얼굴은 뭔가를 기대하듯 진지해 보였어. 그렇게 몇 분간 골똘하게 밖을 내다보더군. 그러더니 깊은 신음 소리를 내며 참을 수 없다는 듯 촛불을 꺼버렸어. 그 즉시 나는 내방으로 돌아왔네. 잠시 후 조심스러운 발자국이 다시 내 방 앞을 지나갔지. 그리고 한참 후에 선잠이 들었는데, 잠결에 어딘가에서 열쇠로

뭔가를 여는 소리를 들었다네. 하지만 그 소리가 어디서 나는지는 알 수 없었어. 이 모든 것이 무엇을 의미하는지는 모르지만 이 음침한 저택에서 어떤 비밀스러운 일이 진행되고 있는 것은 분명하네. 우리는 조만간 그것이 무엇인지 알 수 있을 걸세. 자네가 나에게 오직 사실만을 알려달라고 했기에 내 가설을 얘기하지는 않겠네. 오늘 아침 헨리 경과 오랫동안 논의를 했다네. 우리는 어젯밤 있었던 일을 기반으로 어떻게 할지 계획을 수립했어. 지금 당장은 계획에 대해 얘기하지 않겠네. 하지만 다음번 내 보고는 상당히 흥미로울 걸세.

9
왓슨 박사의 두 번째 보고

바스커빌 저택. 10월 15일. 홈즈에게.

여기 와서 임무를 수행하는 초기에는 새로운 소식을 많이 전하지 못했는데, 지금은 그것을 보충하기 위해 노력하고 있다네. 최근 주변에서 많은 사건이 연속해서 일어나고 있어. 지난번의 마지막 보고는 창가에 서 있던 배리모어의 얘기로 마무리했는데, 그것에 대해 보고할 것이 많다네. 내가 틀리지 않았다면 이 소식은 아마 자네를 깜짝 놀라게 할 거야. 여러 가지 일이 내가 예상하지 못한 방향으로 전개되고 있어. 최근 이틀 동안 어떤 면에서는 사건이 훨씬 분명해졌고, 또 어떤 면에서는 더욱 복잡해졌다네. 지금부터 그간 있었던 일을 모두 말할 테니 자네가 한번 판단해보게.

어젯밤 모험에 이어 오늘 아침 식사 전에 나는 복도를 따라 걸어가 어제 배리모어가 들어갔던 방을 조사했어. 그가 골똘하게 뭔가를 응시하던 그 서쪽 창문은 이 집의 다른 창문들에 비해 묘한 특징을 가지고 있더군. 그 창문은 황야를 가장 가까이서 볼 수 있는 곳이었어. 다른 창문을 통해서 보면 황야의 일부만 저 멀리 보일 뿐인데, 여기에서는 두 그루의 나무 사이로 황야를 바로 내려다볼 수 있다네. 그러니까 내 말은 배리모어가 황야에서 무언가 혹은 누구인가를 찾으려 했다면, 이 창문이 그 목적에 가장 적합하다는 얘기지. 어젯밤은 무척 어두웠기 때문에 배리모어가 뭔가를 보려고 했다고 추정하기는 어려워. 그래서 순간적으로 배리모어가 바람을 피고 있는 것은 아닐까 하는 생각이 떠오르더군. 그렇게 본다면 배리모어의 은밀한 움직임은 물론 배리모어 부인의 불안정한 모습도 설명이 되는 셈이지. 배리모어는 아주 잘생기고 건장해서 여기 시골 처녀들의 마음을 훔치기에 충분하다네. 아마도 이런 생각이 전혀 터무니없지는 않을 거야. 어젯밤 내가 방으로 돌아와 잠결에 들었던 그 문 여는 소리는 아마도 배리모어가 은밀한 만남을 위해 집을 나설 때 난 소리 같아. 오늘 아침에 추리한 건 이 정도일세. 하지만 전에도 내가 했던 추측이 틀린 적이 많았으니 일단 의심이 가는 부분만 얘기한 거네.

아무튼 배리모어가 그런 행동을 한 진짜 이유가 무엇이든 지간에, 이유를 알아낼 때까지 나 혼자 이 사실을 알고 있어야 한다는 부담감이 생각보다 크더군. 그래서 오늘 아침 식사 후 헨리 경에게 모든 것을 다 얘기했어. 경은 내가 예상했던 것과는 달리 많이 놀라지 않더군.

"배리모어가 밤마다 움직이는 것을 알고 있었어요. 그것에 대해 배리모어에게 물어볼 생각입니다. 두세 번 정도 복도를 지나가는 배리모어의 발자국 소리를 들었고, 그 시각에 집을 나갔다 들어오는 소리도 들었거든요."

"그렇다면 아마도 매일 밤 그 창문에 가는 모양이군요." 내가 의견을 제시했지.

"아마도 그런 것 같습니다. 아무래도 우리가 배리모어를 미행해서 무슨 일인지, 무엇을 하는지 봐야 할 것 같습니다. 만약 홈즈 씨가 여기 있었다면 어떻게 했을지 궁금하네요."

"아마 방금 얘기하신 대로 했을 겁니다. 배리모어를 미행해 그가 무엇을 하는지 봤겠지요."

"그럼, 오늘 밤에 하시죠."

"하지만 배리모어가 눈치챌 가능성이 높습니다."

"배리모어는 귀가 잘 안 들리는 편입니다. 그리고 어떤 경우라도 그것을 확인해야 합니다. 오늘 밤 제 방에서 배리모어가 지나갈 때까지 함께 기다려봅시다." 헨리 경은 신이 나는 듯 손을 비볐다네. 황야에서의 지루한 생활을 잠시나마 잊게 해 줄 모험을 반기는 모습이 분명했어.

헨리 경은 찰스 경을 위해 건설 계획을 세웠던 건축가와 런던에 있는 하청업자와 함께 건축 계획을 논의하고 있다네. 조만간 이곳에서 커다란 변화가 시작될 거야. 플리머스에서 실내장식업자와 가구업자도 왔었어. 헨리 경은 가문의 영광을 재현하기 위한 다양한 계획과 방법을 생각하고 있어. 또 이를 위해서는 어떠한 수고도 아끼지 않고 큰 비용을 지불할 작정인 게 분명해. 이 저택의 재건축과 가구 배치가 끝나고 나면

이 모든 것을 완성시키는 데 필요한 마지막은 바로 아내를 맞이하는 것일세.

헨리 경과 나는 이 모든 일이 전부 그 숙녀 때문이라는 것을 잘 알고 있지. 지금까지 헨리 경이 매혹적인 스테이플턴 양에게 빠진 것처럼 여자에게 깊이 반한 남자를 본 적이 없어. 하지만 헨리 경의 사랑이 바라는 것처럼 쉽게 진행되지는 못하고 있어. 바로 오늘처럼 말이야. 전혀 예상하지 못한 일로 그들 사이에 거리가 생겼어. 아마도 이것 때문에 헨리 경이 많이 혼란스러워하고 괴로움을 겪었을 거야.

배리모어에 대한 얘기가 끝나자 헨리 경은 모자를 쓰고 나갈 준비를 하더라고. 나도 당연히 함께 나갈 준비를 했지.

"따라 오시게요, 왓슨 선생?" 젊은 준남작이 매우 진지한 표정으로 나에게 묻더군.

"경이 황야에 가느냐, 안 가느냐에 달려 있지요."

"네, 황야에 갈 겁니다."

"제 역할을 잘 아시잖아요. 방해를 해서 죄송하지만 아시다시피 제가 경의 곁을 떠나서는 안 된다고 홈즈가 분명하게 강조했습니다. 특히 경이 혼자서는 절대 황야에 가게 해서는 안 된다고요."

헨리 경은 아주 즐거운 듯 웃으며 내 어깨에 손을 올리더군.

"왓슨 선생, 홈즈 씨의 예리한 추리력으로도 제가 황야에 다녀온 이후 어떤 일이 생길지 예측하지 못했습니다. 무슨 말인지 아시죠? 선생이야말로 이 세상에서 유일하게 제 사랑을 방해하시려는 분이시군요. 전 혼자 가겠습니다."

내 입장이 그렇게 난처할 수가 없었다네. 내가 뭐라고 해야 할지, 어떻게 해야 할지 알 수 없어 잠시 망설이는 사이 헨리 경은 지팡이를 들고 나가버리더군.

하지만 곧 헨리 경을 혼자 돌아다니도록 해놓고 어쩔 수 없었다는 핑계를 대고 있는 것 같아 무척 마음에 걸렸어. 그리고 런던으로 돌아가 자네의 지시를 어겨서 헨리 경에게 불행한 일이 일어났다고 얘기를 해야 한다면 어떤 기분이 들지 상상해봤지. 그 생각을 하니 창피해서 얼굴이 화끈거리더군. 지금이라도 늦지 않았기를 바라면서 나는 즉시 저택을 나서서 머리핏 하우스로 갔다네.

길을 따라 전속력으로 달려 황야로 들어가는 작은 길이 있는 지점에 이르렀지만 헨리 경은 보이지 않았어. 그 순간 내가 전혀 엉뚱한 길로 온 것은 아닌가 걱정이 퍼뜩 들더군. 그래서 높은 곳에서 사방을 둘러보기 위해 채석장 주변의 언덕 위로 올라갔지. 그러자 바로 헨리 경을 볼 수 있었어. 경은 황야로 들어가는 길에서 400미터쯤 떨어진 곳에서 스테이플턴 양과 나란히 걷고 있었네. 둘 사이에는 이미 그곳에서 만나기로 약속이 되어 있던 것이 분명해. 그들은 천천히 걸으면서 아주 깊은 대화를 나누더군. 그녀는 말을 하면서 손을 계속 움직였는데, 그것만 봐도 그녀가 무언가에 대해 아주 진지하게 얘기하고 있다는 것을 알 수 있었지. 헨리 경은 아주 열심히 듣고 있었는데, 이따금씩 뭔가를 부정하듯 고개를 가로젓더군. 바위 사이에 서서 그들을 지켜보자니 어떻게 해야 될지 난감하더라고. 그래도 내려가서 그들의 친밀한 대화에 끼어드는 것은 너무 심한 것 같았어. 내 임무는 잠시라도 헨리 경이 내 시야에서 벗어나지 않도록 하면 되는 거잖아. 친구를 감시하는 것은 아주 얄궂은 일이었어. 그렇지만 그 언덕만큼 잘 지켜볼 수 있는 방법을 찾을 수가 없어 나중에 내가 한 일에 대해 고백을 해야겠다는 생각을 했네. 거리가 멀어서 만약 갑작스럽게 헨리 경에게 어떤 일이 생긴다면 돕기 힘든 것이 사실이었어. 하지만 아마 자네가 여기 있었더라도 내가 그 자리에 있어야 한다고, 그것밖에는 달리 할 수 있는 일이 없었다는 사실에 동의했을 거라고 확신하네.

헨리 경과 스테이플턴 양은 길 위에 가만히 서서 아주 깊은 대화를 나누고 있었네. 그 순간 나는 그들의 대화를 지켜보는 것이 나 혼자만은 아니라는 사실을 알았어. 허공에 떠 있는 초록색 작은 조각이 보였는데, 그것은 바위틈 사이로 움직이고 있는 한 남자가 들고 있는 것이었네. 스테이플턴과 그가 가지고 다니는 포충망이었지. 스테이플턴은 나보다도 더 가깝게

두 사람 주변에 있었는데, 둘이 있는 방향으로 계속 가더군. 그 순간 헨리 경이 갑자기 스테이플턴 양을 자기 쪽으로 끌어당겨 가슴에 안았어. 그런데 스테이플턴 양은 그에게서 벗어나려고 하면서 얼굴을 옆으로 돌렸지. 헨리 경이 그녀의 얼굴을 향해 고개를 숙였는데, 그녀는 거부하려는 듯 손을 들어 막았네. 그러더니 둘은 갑자기 떨어져서 황급히 서로 등을 돌렸어. 스테이플턴이 나타났거든. 이 박물학자는 아주 저돌적으로 그들에게 달려갔는데, 어울리지 않게 포충망은 여전히 뒤에 매달고 있었어. 스테이플턴은 너무 흥분한 나머지 두 사람 앞에서 춤을 추듯 거의 온몸으로 얘기를 하더군. 전혀 예상하지 못한 상황이었지. 헨리 경이 설명을 했지만 스테이플턴은 이해할 수 없다며 더욱 화를 냈고, 헨리 경을 윽박지르기까지 했다네. 스테이플턴 양은 아무 말도 없이 가만히 서 있더군. 결국 스테이플턴은 돌아서서 아주 단호한 손짓으로 여동생을 불렀고, 그녀는 망설이듯 헨리 경을 한 번 쳐다보더니

오빠를 따라갔다네. 스테이플턴의 몹시 화난 몸짓을 봤을 때 그녀가 아주 곤란한 상황에 빠졌다는 것을 알 수 있었지. 헨리 경은 그들을 바라보며 잠시 서 있더니 크게 낙담한 듯 고개를 푹 숙이고 천천히 저택을 향해 걷기 시작했지.

이 모든 것은 나도 전혀 상상하지 못했던 일이네. 하지만 어쨌든 그들이 모르는 사이에 지극히 사적인 상황을 보게 되어 무척 난감했지. 그래서 곧장 언덕을 내려가 헨리 경 앞에 나타났어. 깜짝 놀라 눈썹을 치켜뜨며 얼굴을 붉히더군. 마치 정신이 나가 뭘 해야 할지 모르는 사람처럼.

"세상에, 왓슨 선생! 대체 어디서 내려오는 겁니까? 설마 이러면서도 나를 쫓아올 생각이 아니었다고 말하려는 것은 아니겠죠?"

나는 모든 것을 설명했네. 왜 저택에 남아 있을 수 없었는지, 어떻게 그를 따라왔고, 방금 전에 있었던 모든 일을 어떻게 보게 되었는지 등등. 헨리 경은 잠깐 동안 나를 노려봤지만 내가 솔직하게 얘기하자 화를 풀고 결국 어색한 웃음을 터트리고 말았지.

"이런 초원 한가운데라면 사적인 얘기를 나누기에 아주 적절한 장소라고 생각했어요. 그런데 이런! 마치 이 지역 사람들 전부에게 내가 구애하는 장면을 들킨 것 같군요. 더구나 어설프기 짝이 없는 구애를요! 도대체 어디에 있었던 겁니까?"

"언덕 위에 있었습니다."

"꽤 멀리 뒤쪽에 있었군요. 하지만 그녀의 오빠는 앞쪽에서 불쑥 나타났어요. 그가 우리에게 접근하는 것을 봤나요?"

"네, 봤습니다."

"그가 오늘처럼 미친 듯이 화를 내는 것을 본 적이 있으세요? 그녀의 오빠 말입니다."

"본 적이 없습니다."

"저 역시 그렇습니다. 오늘까지 저는 스테이플턴이 매우 이성적인 사람이라고 생각했어요. 그런데 지금 보니까 그 사람과 저, 둘 중 한 사람이 너무 지나친 것 같군요. 도대체 제가 뭘 잘못한 거죠? 왓슨 선생은 몇 주 동안 저와 가까이서 생활하셨잖아요. 한번 솔직히 얘기해보세요. 제가 사랑하는 여자를 위해 좋은 남편이 되기에 부족한 점이라도 있습니까?"

"절대 없습니다."

"스테이플턴이 제 사회적 지위를 싫어할 이유는 없을 테니 그가 반대하는 것은 저 자신이 분명합니다. 왜 저를 싫어할까요? 제가 아는 한 저는 여자든 남자든 누구도 힘들게 한 적이 없습니다. 그런데도 그 남자는 자기 동생에게 접근조차 하지 못하게 하는군요."

"그렇게 얘기하던가요?"

"네, 그 이상이었습니다. 다 말씀드리죠. 그녀를 알게 된 것은 불과 몇 주밖에 안됐지만 처음부터 스테이플턴 양이 마음에 들었고, 그녀도 그랬어요. 저와 함께 있으면 무척 행복해하는 것이 분명했거든요. 그녀의 말보다 그녀의 눈빛이 더 많은 것을 얘기하고 있었어요. 하지만 스테이플턴이 우리가 단둘이 만나는 것을 몹시 반대해서 오늘에서야 처음으로 둘이 만나서 얘기를 나눴습니다. 스테이플턴 양도 저를 만나 즐거워했지만 그녀가 말하려던 것은 사랑의 말이 아니었어요. 그녀가 못 하도록 했기 때문에 제가 그런 얘기를 꺼낼 수조차 없었지요. 그녀는 돌아가라고, 여기는 위험한 곳이라고, 제가 떠날 때까지 자신은 결코 행복할 수 없을 거라고 계속 얘기하더군요. 저도 얘기했죠. 당신을 만났기 때문에 여기를 결코 떠나지 않을 것이고, 내가 정말로 떠나기를 원한다면 가능한 유일한 방법은 당신이 나와 함께 가는 것이라고요. 이렇게 얘기하면서 그만큼 열렬하게 당신과 결혼하고 싶다고 청혼했어요. 그런데 그녀가 대답하기도 전에 오빠가 나타나서 미친 사람 같은 얼굴로 우리에게 뛰어온 겁니다. 그는 얼굴이 하얗게 질린 정도로 화가 나 있었고, 눈은 분노로 불타고 있었어요. 내가 그녀에게 무슨 짓을 했나요? 그 남자의 여동생을 불쾌하게 만드는 짓이라도 했습니까? 제가 준남작이라 원하는 것은 무엇이든 할 수 있다고 생각하는 사람처럼 보이시나요? 스테이플턴이 그녀의 오빠가 아니었더라면 저 역시 가만있지 않았을 겁니다. 오빠이기 때문에 동생에 대한 내 감정은 숨길 것 없는 순수한 것이고, 그녀가 내 아내가 되어주기 바라며, 그렇게 되면 무척 영광스러운 일이 될 것이라고 말했어요. 그런데 오히려 그 말이 화를 더 키운 것 같아요. 그래서 저도 그만 이성을 잃고 말았죠. 그녀가 옆에 있다는 것을 생각하면 하지 말았어야 할 얘기까지 하면서 꽤나 강하게 스테이플턴을 쏘아붙였습니다. 결국 왓슨 선생이 본 것처럼 그가 여동생을 데리고 가는 것으로 끝났고, 지금은 이 지역의 그 누구보다도 그가 어떤 사람인지 정말 알고 싶습니다. 이걸 어떻게 이해해야 할지 얘기 좀 해보세요. 왓슨 선생, 이에 대해 설명해주신다면 정말 그 무엇보다도 감사할 것 같습니다."

내가 한두 가지 위로를 하기는 했지만 사실 나조차도 정말 이유를 알 수가 없었네. 헨리 경은 지위, 엄청난 재산, 젊은 나이, 원만한 성격, 잘생긴 외모 등 무엇 하나 빠지는 게 없지 않은가. 단 하나 그의 가문에 드리워진 어두운 운명만 빼고 말이야. 경의 청혼에 대해 스테이플턴 양이 어떻게 생각하는지 확인하지도 않고 일언지하에 거부한다면, 그런 상황을 그녀가 아무런 반발도 없이 받아들인다면 이건 정말 놀라운 일일 걸세. 그러나 이런 추측은 안 해도 될 것 같네. 그날 오후 스테이플턴이 아침에 자신이 저지른 무례에 대해 사과하기 위해 저택에 왔거든. 헨리 경과 두 사람은 그 문제에 대해 아주 오랫동안 얘기를 나눈 끝에 화해하기로 했네. 그런 뜻에서 다음 주 금요일에 머리핏 하우스에서 저녁 식사를 함께하기로 했어.

"스테이플턴은 분명 미친 것 같았어요." 헨리 경이 만남 후 결과에 대해 설명해줬어. "오늘 아침 나에게 달려들 때 그의 얼굴을 잊을 수는 없겠지만, 스테이플턴이 너무나 공손하게 사과를 해서 받아들이지 않을 수 없었습니다."

"왜 그랬는지 설명하던가요?"

"자기에게 여동생은 인생의 전부라고 하더군요. 충분히 이해할 수 있을 것 같아요. 여동생을 그처럼 소중히 여기다니 오히려 제가 더 기쁩니다. 그는 여동생 외에는 다른 친구가 없어 항상 외로웠고, 그럴수록 둘이 더 친해졌다고 합니다. 그런데 갑자기 동생이 떠난다고 생각하니 너무 끔찍했다고 설명하더군요. 스테이플턴은 제가 동생에게 관심을 갖고 있는지 몰랐는데, 그런 모습을 눈으로 직접 보니 어쩌면 그녀를 데려갈지도 모른다고 생각했대요. 그게 너무 충격적이라 순간적으로 이성을 잃었고, 자기가 어떻게 했는지, 뭐라고 했는지 기억도 못 할 정도라고 하면서 깊이 사과했어요. 그리고 자기 여동생처럼 아름다운 여자를 평생 붙잡고 있으려고 한 것이 얼마나 이기적이고 바보 같은 생각인지 깨달았다고 하더군요. 그러면서 여동생이 결혼을 해서 자신을 떠나야 한다면 다른 누구보다도 저와 같은 사람이면 좋겠다고 강조하더군요. 하지만 어떤 경우든 지금은 매우 충격적이라 이별을 준비할 시간이 필요할 것 같다고 했어요. 그러면서 만약 내가 석 달 동안만 결혼 문제를 거론하지 않고 그녀에게 청혼을 받아달라고 요구하지 않으면서 그냥 친구처럼 지낸다면, 자기는 더 이상 그 어떤 반대도 하지 않겠다고 제안했어요. 제가 그 제안을 받아들였고, 그래서 문제가 해결된 거죠."

이렇게 해서 우리의 작은 궁금증 하나가 해결되었다네. 우리가 뭔가를 찾기 위해 버둥대고 있는 이 습지대에서, 처음으로 명확한 결론이 하나 나온 셈이지. 이제 스테이플턴이 여동생의 구혼자를, 더구나 헨리 경처럼 모든 면에서 자격을 갖춘 사람을 왜 그토록 싫어했는지 이유를 알 수 있게 되었다네.

이제 여러 가지 얽힌 문제 중에 이유를 알아낸 또 다른 문제에 대해 얘기하겠네. 한밤중에 들리는 여자의 흐느낌, 배리모어 부인의 얼굴에 난 눈물자국, 밤마다 서쪽 창문으로 가던 집사 배리모어의 비밀스런 움직임 말일세. 이보게 홈즈, 기뻐하게. 그리고 내가 자네를 실망시키지 않는 꽤 괜찮은 조수라고 칭찬해주겠나. 자네가 나를 이곳으로 내려보낼 때 했던 그 칭찬들이 결코 헛되지 않았다고 말일세. 아까 그 모든 일들이 하룻밤 작전으로 아주 깨끗하게 해결되었다네.

하룻밤의 작전이라고 얘기했지만 사실은 이틀이 걸렸지. 첫날 밤은 완전히 공을 쳤거든. 헨리 경하고 같이 경의 방에서 거의 새벽 3시까지 기다렸지만 그날은 어떤 종류의 소리도 들리지 않았어. 오직 계단에 있는 시계 소리뿐이었지. 정말 허망하게 밤을 새우다 우리 둘 모두 의자에 앉아 잠이 들고 말았지. 하지만 다행히 우리는 포기하지 않고 다시 시도하기로 했다네. 다음 날 밤 우리는 등잔불의 불빛을 최대한 낮추고 담배 연기가 밖으로 새어 나가지 못하도록 하고 조용히 앉아 있었네. 시간이 어찌나 천천히 흘러가든지 무척 힘들었지. 하지만 덫을 쳐놓고 사냥감이 오기를 기다리는 사냥꾼처럼 참을성 있게 기다렸네. 새벽 1시, 2시, 시간은 흘러갔지만 아무런 소득이 없자 지쳐서 두 번째 시도도 거의 포기하려고 하던 순간, 우리 둘은 동시에 앉아 있던 의자에서 벌떡 일어났어. 그리고 모든 신경을 곤두세운 채 한 치의 빈틈도 없이 주의를 기울였지. 복도에서 '삐그덕' 하는 소리가 났거든.

우리는 아주 조심스럽게 소리가 저 멀리 사라질 때까지 기다렸어. 그리고 헨리 경이 조심스럽게 문을 열었고, 우리는 추적을 시작했지. 그 남자는 벌써 컴컴한 복도를 지나 모퉁이를 돌고 있었다네. 우리는 아주 조심스럽게 그를 따라 옆 부속 건물로 들어갔어. 키가 크고 얼굴에 수염을 기른 남자가 어깨를 잔뜩 움츠린 채 발끝으로 복도를 걷고 있더군. 그가 전에 들어갔던 그 방으로 다시 들어가 어둠 속에서 촛불을 조정하자 노란색 불빛이 컴컴한 복도 밖으로 흘러나왔네. 우리는 마룻바닥을 밟을 때 몸무게 때문에 소리가 나지 않도록 발뒤꿈치를 들고 조심스럽게 다가갔어. 소리가 나지 않게 하기 위해 미리 신발을 벗어두고 왔는데도 낡은 마룻바닥은 걸을 때마다 '탁', '끼이익' 소리가 나더군. 그 소리가 너무 커서 배리모어가 금방 우리의 접근을 알아차릴 것 같았지만 다행히 집사는 귀가 잘 들리지 않았다네. 더구나 자신이 하는 일에 완전히 몰두해 있었기 때문에 소리를 듣지 못했어. 마침내 우리는 그 방 근처에 도착해 방 안을 몰래 훔쳐보았어. 배리모어는 손에 촛불을 들고 창문 앞에 웅크리고 서 있었는데, 긴장한 그의 하얀 얼굴이 내가 이틀 전 밤에 본 그 모습 그대로 창문에 비치더군.

우리는 구체적인 계획을 세우지 못했는데, 헨리 경은 무슨 일이든 항상 직설적으로 처리하는 성격이라네. 경은 바로 방 안으로 걸어 들어갔지. 창가에 있던 배리모어는 깜짝 놀라 창문에서 뛰듯이 물러서면서 '흡' 하고 숨을 들이쉬고는 납빛이

된 얼굴로 우리 앞에 떨면서 서 있었다네. 얼굴은 하얗게 질렸고 헨리 경과 나를 바라볼 때 그의 검은 눈은 공포와 놀라움으로 가득했지.

"지금 여기서 뭘 하고 있는 거요, 배리모어?"

"아무것도 아닙니다." 배리모어는 너무 놀란 나머지 거의 말을 하지 못하더군. 그가 떠는 바람에 촛불이 흔들리면서 그림자가 커졌다 작아졌다 했지. "그냥 창문을 확인하고 있었습니다, 헨리 경. 저는 그저 밤에 창문이 잘 잠겼는지 둘러보고 있었습니다."

"여긴 2층이지 않나요?"

"네, 모든 창문을 둘러보고 있습니다."

"이봐요, 배리모어." 헨리 경이 엄한 목소리로 추궁했지. "우리는 오늘 여기서 무슨 일이 있었는지 반드시 알아야겠소. 지금 당장 말하는 것이 당신에게 좋을 겁니다. 어서 말해보세요, 거짓말하지 말고. 이렇게 늦은 시간에 이 창문 앞에서 도대체 뭘 하고 있었던 거요?"

집사는 막다른 골목에 갇힌 사람처럼 두 손을 모으고 절망적인 눈으로 우리를 바라보면서 대답했다네.

"저는 경에게 위험한 짓은 하지 않았습니다. 그저 촛불을 들고 창가에 서 있었을 뿐입니다."

"그러니까 왜 촛불을 들고 창문에 서 있었냐고요?"

"더 이상 묻지 말아 주십시오. 더 이상, 제발요! 헨리 경, 분명하게 말씀드릴 수 있는 것은 이것은 제 일이 아니기 때문에 말씀드릴 수가 없다는 사실입니다. 만약 이게 제 일이었다면 경에게 감추지 않았을 겁니다."

그때 갑자기 어떤 아이디어가 떠올라 나는 떨고 있는 집사의 손에서 촛불을 낚아챘지.

"이자는 아마 어떤 신호용으로 이 촛불을 들고 있었을 겁니다. 어디 어떤 대답이 오는지 한번 봅시다." 나는 배리모어가 했던 것처럼 촛불을 들고 창밖의 어둠을 주의 깊게 바라봤네. 달이 구름에 가려져 있어서 분명하지는 않았지만 어둠 속에서 여러 나무들의 검은 형체와 그것들보다 더 환하게 보이는 넓은 황야가 한눈에 들어오더군. 그 순간 나는 기쁨의 환호를 질렀다네. 노란색의 아주 희미한 불빛이 갑자기 어둠을 뚫고 나타나더니, 내가 들고 있는 촛불과 창틀로 인해 황야에 형성된 검은색 사각형 안에서 지속적으로 빛을 발하기 시작했거든.

"저거군." 내가 소리쳤지.

"아뇨, 아닙니다! 헨리 경, 이게 아닙니다. 이건 경과 아무 상관이 없습니다." 집사가 울면서 소리쳤어. "정말입니다. 헨리 경."

"왓슨 선생, 촛불을 움직여보세요." 헨리 경이 소리쳤어. "아니라고요? 저렇게 따라서 움직이지 않소! 이런 악한 같으니. 이게 신호가 아니면 뭐란 말이오? 어서 말해보시오! 저쪽에 있는 당신과 한패인 저놈은 누구요? 도대체 무슨 음모를 꾸미고 있는 거요?"

집사의 얼굴이 점점 도전적으로 변하더니 단호하게 말하더군. "이건 제 일입니다. 경이 상관하실 일이 아닙니다. 제가 말씀드릴 이유가 없습니다."

"좋아, 그렇다면 당신은 지금 당장 해고요."

"좋습니다. 그렇게 해야 한다면 하겠습니다."

"창피한 줄 알아야지. 이런 제기랄. 지금 당신이 얼마나 부끄러운 짓을 하고 있는지 아시오? 당신 집안은 우리 가문과 함께 이 집에서 수백 년을 함께했어. 그런데 감히 나를 해치려는 못된 음모를 꾸미다니."

"아니에요, 아닙니다. 헨리 경, 이것은 경을 해치려는 게 아닙니다." 갑자기 배리모어 부인

의 목소리가 들렸어. 부인은 배리모어보다 더 창백하고 두려움에 사로잡힌 얼굴로 문 옆에 서 있었지. 부인의 얼굴에 나타난 심각한 표정이 아니었다면 어깨에 숄을 두르고 치마를 입은 덩치 큰 부인의 모습이 우스꽝스럽게 보였을 거야.

"우린 이 집을 떠나야 해, 일라이자. 이제 끝이야. 짐을 싸자고." 집사가 체념한 듯 말했어.

"오, 존, 이건 당신 잘못이 아니잖아요? 이건 제 일입니다, 전부 다요. 헨리 경, 제 남편은 그저 제가 부탁하는 대로 했을 뿐입니다."

"그렇다면 말해보시죠. 도대체 무슨 일인가요?"

"제 불쌍한 동생이 황야에서 굶주림에 떨고 있습니다. 제가 이렇게 가까이 있는데 차마 동생을 죽게 내버려 둘 수가 없었습니다. 이 불빛은 그 아이에게 줄 음식이 준비되었다는 신호입니다. 그리고 저 불빛은 음식을 그쪽으로 가지고 오라고 위치를 알려주는 것입니다."

"그럼, 부인 동생이…?"

"그렇습니다. 탈옥수 셀던이 제 동생입니다."

"사실입니다. 헨리 경." 배리모어가 거들었어. "제가 말씀드렸듯이 이건 제 일이 아니라 경께 말씀드릴 수가 없었습니다. 하지만 이제 모두 들으셨으니 아셨을 겁니다. 여기에는 경을 해치려는 그 어떤 음모도 없습니다."

그렇다네. 이것이 배리모어가 밤에 몰래 그 방에 들어가 불빛을 들고 창문에 서 있던 이유라네. 헨리 경과 나는 아연실색한 표정으로 배리모어 부인을 바라봤지. 정말 놀라운 일이지 않은가. 이렇게 착해빠진 사람과 이 나라에서 가장 악명 높은 흉악한 범죄자가 어떻게 한 뱃속에서 나왔을까?

"네, 헨리 경. 제 결혼 전 성이 셀던이고, 그 탈옥수는 제 남동생입니다. 동생이 어렸을 때 우리 가족은 동생을 매우 사랑했기 때문에 너무 오냐오냐하며 키웠습니다. 동생은 자기가 좋아하는 것은 무엇이든 할 수 있고, 이 세상은 자신을 위해 존재한다고 착각하게 되었죠. 그러더니 커가면서 못된 친구들을 사귀게 되었고, 악마에 사로잡힌 듯 온갖 나쁜 일을 저질러 저희 어머니의 가슴을 미어지게 하고, 저희 가족의 이름을 더럽혔습니다. 계속 끔찍한 범죄를 저지르면서 점점 더 악의 구렁텅이에 빠졌고, 결국 신의 자비만이 동생을 그를 죽음에서 구할 수 있게 되었습니다. 하지만 헨리 경, 저에게 그 아이는 여전히 곱슬머리의 작은 소년일 뿐입니다. 어렸을 때 누나로서 돌봐 주고 함께 놀아주었던 어린아이일 뿐입니다. 동생이 감옥을 탈출한 이유도 제가 여기 있는 줄 알고 자신이 찾아오면 절대 도움을 거절하지 못할 것이라는 사실을 알았기 때문입니다. 동생이 피로와 배고픔에 지친 채 교도관들에게 쫓겨 처음 찾아왔던 날 밤, 저희가 어떻게 할 수 있었겠습니까? 집으로 들어오게 해 먹이고 돌봐 줄 수밖에 없었습니다. 그런데 경이 돌아오셨고, 동생은 요란한 추적이 끝날 때까지 여기보다는 황야가 더 안전할 것이라고 생각했습니다. 그래서 황야 어딘가에 숨었습니다. 그 후 이틀 간격으로 이 창문에 와서 불빛을 비춰 동생이 아직도 황야에 있는지 확인했습니다. 만약 신호가 오면 남편이 빵과 고기를 좀 가져다주었습니다. 매일 밤 저희는 동생이 떠났기를 바랐지만 동생이 저 황야에 있는 동안은 저버릴 수가 없었습니다. 독실한 기독교인으로 이 모든 것이 분명한 사실이라는 것을 맹세합니다. 이번 일과 관련해 비난받아야 할 사람이 있다면 거짓말을 한 제 남편이 아니라 바로 저입니다. 남편은 단지 제가 부탁한 대로 했을 뿐입니다."

배리모어 부인의 얘기는 믿지 않을 수 없을 정도로 절실한 진심을 담고 있었다네.

"이게 모두 사실인가요, 배리모어?"

"그렇습니다, 헨리 경. 모든 것이 사실입니다."

"그렇다면 당신이 아내를 위해 한 행동을 탓할 수는 없을 것 같소. 내가 했던 얘기는 모두 잊어버리세요. 그리고 두 사람 모두 방으로 돌아가세요. 이 문제는 내일 아침에 다시 얘기하도록 하죠."

그들이 떠나고 나서 우리는 다시 창밖을 내다봤다네. 헨리 경이 거칠게 창문을 열자 차가운 밤바람이 얼굴에 불어왔지. 저 멀리 어둠 속에서 아주 작은 노란 불빛이 여전히 빛나고 있었다네.

"여전히 저기 있는지 궁금하군요." 헨리 경이 혼잣말처럼 중얼거렸지.

"정말 감쪽같이 숨어 있군요. 저 불빛을 볼 수 있는 곳은 오직 여기뿐일 겁니다."

"정말 그렇군요. 여기서 거리가 얼마나 될까요?"

"제 생각엔 뾰족한 바위산 부근 같군요."

"2~3킬로미터 이내일 것 같지요?"

"그 정도 돼 보이네요."

"음, 배리모어가 음식을 가져다줄 만한 거리네요. 여기 이 촛불 옆에서 그놈을 기다렸던 거군요. 왓슨 선생, 아무래도 나가서 그놈을 잡아야겠어요!"

나도 똑같은 생각을 하고 있었어. 배리모어 부부가 우리를 동생에게 데려다 주지는 않았을 거야. 그들의 관계 때문에 그렇게는 못 할 테니까. 하지만 그놈은 이 지역 사람들 모두에게 매우 위험한 자이고, 동정이나 변명이 통하지 않는 무지막지한 범죄자 아닌가. 우리는 단지 아무도 해칠 수 없는 감옥으로 그자를 다시 돌려보낼 수 있는 기회를 놓치고 싶지 않았다네. 만약 우리가 이 기회를 포기한다면 그 탈옥수의 잔인하고 폭력적인 성향으로 봐서 누군가 또 해를 입을 수도 있거든. 누가 알겠나, 어느 날 밤에 스테이플턴 남매가 그자에게 공격을 당할지. 아마도 이런 우려 때문에 헨리 경이 더 적극적으로 그자를 잡으려고 하는 것 같았어.

"저도 같이 가겠습니다."

"그럼 리볼버 권총을 챙기고 신발을 신으세요. 빨리 출발하는 게 좋겠어요. 저놈이 불을 끄고 어디론가 사라지기 전에."

5분 후 우리는 드디어 놈을 잡기 위한 모험을 시작했다네.

가을바람이 음산하게 불어오고 떨어진 낙엽들이 버스럭거리는 관목들 사이로 서둘러 출발했지. 차가운 밤공기 속에는 축축하고 부패한 냄새가 섞여 있었어. 밤하늘에 걸린 구름은 계속 흘러가고 있었고, 그 사이로 우리를 훔쳐보듯 달이 가끔 보이기도 했지. 그러더니 우리가 막 황야로 접어들었을 때 가는 비가 내리기 시작했어. 다행히 우리 앞의 불빛은 여전히 그대로 있었네.

"무장은 하셨죠?" 내가 물었어.

"사냥용 채찍을 가지고 왔어요."

"그놈은 무자비한 놈이라 우리는 최대한 빨리 놈에게 접근해야 합니다. 그자가 저항하기 전에 기습을 해야 생포할 수 있어요."

"저도 같은 생각입니다, 왓슨 선생." 헨리 경도 동의하더군. "이 일에 대해 홈즈 씨는 뭐라고 얘기할까요? 사악한 힘이 기승을 부리는 이 어둠의 시간에 대해서 말이죠?"

그때 마치 헨리 경의 질문에 대답이라도 하듯 갑자기 이전에 그림펜 늪 부근에서 들었던 그 괴이한 울음소리가 광활한 황야의 어둠을 뚫고 들렸다네. 그 소리는 바람에 실려 밤의 고요함을 뚫고 들렸네. 길고 깊은 웅얼거림 후에 소리가 높이 치솟았다가 음습한 신음 소리로 변하면서 잦아들었지. 밤공기 전체에 그 소리가 담겨 계속 들렸다네. 거칠고 위협적인 소리가 매우 불쾌했지. 내 소매를 붙잡는 헨리 경의 놀란 얼굴이 어둠 속에서 희미하게 보이더군.

"세상에! 저건 무슨 소리죠, 왓슨 선생?"

"전에 한 번 황야에서 들어본 적은 있지만 무슨 소리인지는 저도 모릅니다."

그 소리는 점점 멀어지더니 마침내 완전한 고요만이 남았네. 우리는 가만히 멈춰 서서 귀를 기울였지만 더 이상 아무 소리도 들리지 않더군.

"왓슨 선생, 이건 사냥개 울음소리입니다." 헨리 경이 스스로 대답했지.

순간 내 혈관의 피가 얼어붙는 것 같았다네. 경의 목소리에 갑작스럽게 헨리 경을 사로잡은 공포심이 그대로 묻어났거든.

"사람들은 이것을 뭐라고 하던가요?" 헨리 경이 물었어.

"누구요?"

"이 지역 사람들 말입니다."

"그들은 그냥 무시하세요. 그들이 뭐라고 부르든 신경 쓰지 마세요."

"얘기해주세요. 왓슨 선생, 그들이 뭐라고 하던가요?"

나는 망설였지만 대답을 하지 않을 수 없었네.

"그들은 이것을 바스커빌 가문의 사냥개가 울부짖는 소리라고 하더군요."

헨리 경은 '끄응' 하고 신음 소리를 내더니 잠깐 동안 말이 없었네.

"전설의 사냥개 소리라고요?" 경이 다시 입을 열었어. "하지만 제 생각에 그 소리는 저 멀리 1~2킬로미터 밖에서 들려온 것 같은데요."

"그 소리가 어디서 시작됐는지는 알 수가 없습니다."

"그 소리는 바람을 타고 들려왔어요. 저 거대한 그림펜 늪 방향에서 들려오지 않았나요?"

"네, 맞습니다."

"음, 저 위쪽이었어요. 말해보세요, 왓슨 선생. 아까 그 소리가 진짜 사냥개 울음소리라고 생각되지 않나요? 저는 어린아이가 아닙니다. 걱정하지 마시고 사실대로 얘기해주세요."

"지난번에 이 소리를 들었을 때는 스테이플턴과 같이 있었습니다. 그는 이게 어쩌면 종류를 알 수 없는 어떤 새의 울음소리일 거라고 하더군요."

"아뇨, 아닙니다. 이건 사냥개예요. 어쩜, 그 모든 이야기가 사실일 수도 있겠군요? 정말로 알 수 없는 사악한 힘 때문에 제가 위험에 빠질 가능성이 있을까요? 그렇게 믿지 않으세요? 어때요, 왓슨 선생?"

"아니오, 믿지 않습니다."

"이 얘기를 런던에서 들을 때는 웃었지만 여기 황야의 어둠 속에서 아까와 같은 울음소리를 듣고 나니 도저히 웃을 수가 없군요. 아, 백부님! 백부님의 시체 주변에도 사냥개 발자국이 있었잖아요. 이 모든 것이 맞아 들어가는군요. 저는 제가 겁쟁이가 아니라고 생각하지만 왓슨 선생, 그 소리는 마치 제 피를 얼어붙게 만드는 것 같아요. 제 손을 잡아보세요!"

헨리 경의 손은 대리석 조각처럼 차가웠다네.

"걱정 마십시오. 아무 일도 없을 겁니다."

"그 소리를 잊을 수 없을 것 같아요. 이제 어떻게 하면 좋을까요?"

"저택으로 돌아갈까요?"

"아니죠. 우리는 탈옥수를 잡기 위해 나왔고, 꼭 잡을 겁니다. 우리가 지금 놈을 추적하더라도 그 지옥의 사냥개가 우리를 추적할 것 같지는 않네요. 갑시다. 잘하면 지옥에서 풀려나와 황야를 배회하는 사악한 놈들을 모두 볼 수 있겠군요."

우리는 어둠 속에서 천천히 걸어갔는데, 주변에 어렴풋하게 바위산의 형체가 보이더군. 노란 불빛은 여전히 앞에서 빛을 내고 있었네. 매우 캄캄한 밤이라 그 불빛을 찾아가는 도중 길을 잘못 들 가능성은 없었지만, 종종 그 희미한 불빛은 저 멀리 지평선 위에 있는 것도 같고 어떨 때는 우리와 매우 가까이 있는 것처럼 보였어. 마침내 우리는 그 불빛이 있는 곳에 도착했지. 아주 가까이 왔다는 것을 알 수 있었어. 작은 통에 담긴 촛불이 바위틈 사이에 끼워져 있더군. 바위가 양쪽에서 지탱해주고 있어 바람에도 촛불이 꺼지지 않았고, 바스커빌 저택을 제외한 다른 방향에서는 불빛을 볼 수가 없었던 거네. 주변에 있는 화강암 바위들 사이로 조용히 접근해서 바위 뒤에 웅크리고 앉아 그 불빛을 내려다봤다네. 황야 한가운데서 불타고 있는 신호용 촛불을 보고 있으니 이상하더군. 근처에 생명체의 흔적은 아무것도 없는 것 같았어. 오직 꿋꿋하게 타고 있는 노란 불빛과 그 불빛으로 인해 환하게 드러난 바위틈뿐이

S. PAGET

었지.

"이제 어떻게 할까요?" 헨리 경이 속삭이듯 물었지.

"잠깐 기다리죠. 그놈은 분명 이 근처 어디에 있을 겁니다. 놈이 나타나는지 좀 지켜보죠."

그놈이 나타났을 때 우리는 거의 말을 할 수가 없었다네. 촛불이 타고 있는 바위틈 사이에서 놈이 사악한 노란 얼굴을 드러냈지. 여기저기 상처가 나고 긁힌 얼굴에 흉악한 욕망이 가득했다네. 늪처럼 더럽고 덥수룩하게 자란 턱수염과 헝클어진 머리를 한 모습이 언덕에 굴을 파고 살았던 선사 시대의 사람이라고 해도 믿겠더군. 밑에 있던 촛불에 놈의 얼굴이 훤히 드러났는데, 작고 교활한 눈으로 어둠 속에서도 좌우를 집요하게 살피고 있었네. 마치 사냥꾼의 발자국 소리를 들은 영악하고 사나운 짐승처럼 말이야.

분명히 뭔가 의심스럽게 생각하는 눈치였다네. 어쩌면 우리가 모르는 사이에 배리모어가 또 다른 어떤 신호를 보냈을지도 모르지. 그게 아니라면 뭔가 이상하다고 느낄 만한 다른 이유가 있었든가. 아무튼 놈의 얼굴만 보고는 그 이유를 알 수가 없었어. 순간 놈이 갑자기 불빛을 벗어나 어둠 속으로 사라질 것 같았지. 나는 앞으로 뛰어나갔고 헨리 경도 동시에 뛰어나왔어. 그와 동시에 그놈이 우리에게 욕을 하면서 돌을 던졌다네. 돌은 우리가 숨어 있던 바위에 맞아 산산조각이 났지. 놈이 벌떡 일어나 달리기 시작하는데, 순간 보니 작지만 강인해 보이더군. 그때 운 좋게도 달이 구름 사이로 나왔어. 우리는 서둘러 언덕 위로 올라갔는데, 놈이 놀라운 속도로 다른 쪽으로 도망치고 있었어. 마치 산양처럼 앞에 놓인 바위들을 뛰어넘어 가고 있더군. 먼 거리였지만 운이 좋다면 내 리볼버 권총으로 놈에게 상처를 입힐 수 있었을 거야. 그렇지만 이 총은 오직 방어용으로 가지고 왔지 공격이나 무장하지 않고 도망가는 사람을 쏘기 위한 것은 아니었네.

헨리 경과 나는 재빨리 달리기 시작했어. 우린 꽤 건강한 편이지만 그놈을 따라잡기 어렵다는 것을 금방 알 수 있었어. 달빛 아래에서 그놈이 저 멀리 언덕 위의 바위 사이로 쏜살같이 사라지는 모습을 한참 동안 바라보고 있었지. 완전히 지칠 때까지 달리고 또 달렸지만 그놈과의 거리는 점점 멀어지더군. 결국 우리는 포기하고 근처 바위에 앉아 숨을 헐떡였지. 그놈이 더 멀리 어디론가 사라지는 것을 바라보면서 말이야.

바로 그때 정말 기이하고 전혀 예상하지 못했던 일이 발생했네. 우리는 가망 없는 추격을 포기하고 바위틈에서 나와 저택으로 돌아가고 있었어. 오른편에 달이 낮게 떠 있었고 톱니처럼 들쭉날쭉한 바위산의 꼭대기는 곡선을 그리고 있는 달의 아랫부분을 가린 채 올라와 있었지. 이렇게 밝은 배경 위로 흑단처럼 새까만 조각 같은 형체가 나타났다네. 바위산 위에 한 남자의 윤곽이 분명하게 보였지. 홈즈, 내가 잘못 본 것이라고 생각하지 말게. 맹세할 수 있네. 내가 지금까지 뭔가를 이렇게 분명하게 본 적이 없다네. 그 형체는 키가 크고 마른 남자였네. 남자는 다리를 양쪽으로 벌리고 팔짱을 낀 채 고개를 숙이고

있었어. 마치 남자의 앞에 놓인 수많은 나무와 화강암을 내려다보면서 골똘히 생각에 잠긴 사람처럼 말이야. 그 키 큰 남자는 그 무시무시한 장소와 잘 어울려 보였네. 우리가 쫓던 탈옥수는 아니었어. 그 남자는 탈옥수가 도망친 방향과는 전혀 다른 위치에 서 있었거든. 게다가 탈옥수보다 훨씬 키가 컸다네. 내가 놀라 소리치며 그 남자의 위치를 알려주려고 헨리 경의 팔을 잡는 찰나 그 남자는 어디론가 사라졌네. 화강암 바위산의 날카로운 꼭대기만이 여전히 낮게 뜬 달의 가장자리를 가리고 있었지. 하지만 거기에 미동도 하지 않고 서 있던 남자의 형체는 더 이상 볼 수 없었다네.

그쪽으로 가서 바위산을 조사해보고 싶었지만 너무 거리가 멀었네. 헨리 경은 자기 가문의 어두운 이야기를 떠올리는 그 울음소리 때문에 여전히 흥분한 상태라 새로운 모험을 할 만한 분위기도 아니었지. 경은 바위산 위에 혼자 서 있던 남자를 보지 못했기에 남자의 특이한 윤곽도 알 수 없었고, 내가 느꼈던 압도적인 느낌도 받지 못했던 거야.

"교도관이 분명합니다." 헨리 경이 얘기하더군. "죄수가 탈옥했기 때문에 교도관들이 황야에 많이 있잖아요."

어쩌면 경의 얘기가 맞는지도 모르겠어. 하지만 나는 좀 더 분명하게 하고 싶었네. 그래서 오늘 탈옥수를 찾고 있는 프린스타운의 사람들과 얘기를 할 생각이야. 아무튼 어젯밤에 그 탈옥수를 잡아 다시 감옥으로 돌려보내지 못한 것은 안타까운 일이었네. 홈즈, 자네는 분명 인정해야 할 거야. 보고서에서 얘기한 것처럼 어젯밤과 같은 모험에서 내가 잘하고 있다는 사실을 말이야. 내가 얘기했던 많은 일들은 우리 사건과는 관계가 없다는 사실이 분명하게 밝혀졌네. 물론 나는 자네에게 모든 일의 사실만을 전달하는 것이 가장 좋다고 생각하고 있어. 자네가 이 일들 중에서 어떤 결론을 내리는 데 도움이 되는 단서들을 스스로 선택할 수 있도록 말이야. 아무튼 우리는 확실히 약간의 진전을 이루었다네. 배리모어 부부가 지금까지 왜 그런 행동을 했는지 이유를 밝혀냈고, 그것이 여러 상황을 분명하게 이해하는 데 무척 많은 도움을 주었어. 그러나 여전히 알 수 없는 미스터리를 간직하고 있는 황야와 그곳에 사는 특이한 거주자들이 풀리지 않는 수수께끼로 남아 있네. 다음번 편지에서는 이런 문제들 역시 어느 정도 풀릴 수 있겠지. 무엇보다 좋은 것은 자네가 이쪽으로 내려오는 것이라네. 어쨌든 며칠 안으로 다시 보고를 하겠네.

10
왓슨 박사의 일기 발췌

지금까지는 내가 최근에 셜록 홈즈에게 보낸 보고서를 인용했다. 그러나 이제 그 방법을 버리고, 당시에 썼던 일기를 바탕으로 다시 한 번 기억에 의존해 이야기를 계속해야 할 시점이다. 일기에서 인용한 내용은 선명하게 내 기억 속에 남아 있던 당시의 아주 세세한 부분까지 보여줄 것이다. 그럼 실패로 끝난 탈옥수 추적과 황야에서 기이한 경험을 한 다음 날 아침부터 다시 이야기를 시작한다.

10월 16일. 이슬비가 내리고 안개가 껴 우중충한 날. 저택 위의 하늘에는 구름이 잔뜩 끼었다. 구름이 흘러가면 이따금씩 황야의 쓸쓸한 굴곡이 드러났고, 언덕 위에는 빗물이 얇은 은맥처럼 흘렀다. 번개가 치면 저 멀리 바위산의 표면이 번쩍하고 빛났다. 저택 안과 밖 모두 우울한 분위기였다. 헨리 경은 어젯밤의 흥분이 가라앉아 매우 암담한 기분에 쌓여 있었다. 나는 항상 존재하던 위험이 현실로 다가올 것 같은 불길한 예감에 가슴이 답답했다. 그것을 느낄 수는 있었지만 정확히 알 수가 없어 불안감은 더욱 커졌다.

왜 이렇게 불길한 느낌이 들까? 주변에서 연속적으로 일어난 사건들을 정리해보자. 그것들은 모두 주변에서 감지되고 있는 어떤 불길한 조짐을 예고하고 있으니까. 이 저택의 전 주인이 가문에 전해 내려오는 전설을 그대로 재현하듯 죽었고, 이곳 농부들이 황야에서 괴이한 형태의 생명체를 봤다는 얘기가 지속적으로 들려오고 있다. 두 번이나 내 귀로 직접 먼 거리에서 사냥개가 짖는 듯한 소리를 들었다. 그것은 이 세상에서 들을 수 있는 소리라고는 도저히 믿을 수 없는 기이한 것이었다. 실제로 발자국과 황야를 울리는 울음소리를 남겼지만 유령 같은 사냥개가 있다고는 도저히 믿을 수가 없다. 스테이플턴은 어쩌면 그런 미신을 믿는지도 모르겠다. 모티머 씨도 믿는 것 같고. 그러나 나는 이 세상에서 통하는 평범한 상식을 따르는 사람이다. 때문에 도저히 그런 존재가 있다고 믿을 수가 없다. 그걸 믿는다는 것은 이곳에 사는 순진한 농부들과 같은 수준이라는 말밖에 안 된다. 그들은 단순히 지옥의 사냥개라는 말로도 모자라 입과 눈에서 지옥의 불꽃을 쏜다고 묘사해야 만족하는 사람들이다. 홈즈는 이런 황당한 얘기를 믿지 않을 것이다. 그리고 나는 홈즈의 조수다. 그러나 사건이 실제로 일어난 것도 사실이다. 황야에서 두 번이나 그 괴이한 울음소리를 들었다. 정말로 황야에 그런 거대한 사냥개가 있다고 가정하면 지금까지 일어난 모든 일들을 설명할 수 있다. 그렇지만 도대체 어디에 숨어 있는 것일까? 먹이는 어디서 구할까? 어디에서 왔을까? 왜 낮에는 그 개를 봤다는 사람이 아무도 없는 걸까? 그 개가 실제 존재한다고 보더라도 다른 것과 마찬가지로 여전히 설명하기 어려운 부분들이 많다. 사냥개를 제외하고 보더라도, 사람이 관여한 많은 일이 런던에서 일어났었다. 마차에 타고 있던 의문의 남자, 헨리 경에게 황야에 오지 말라고 경고했던 편지. 적어도 이것들은 분명한 사실임에도 불구하고 그를 보호하려는 친구가 했는지, 해치려는 사람의 짓인지도 확실하지가 않다. 그리고 지금 그 친구 혹은 그 적은 도대체 어디 있단 말인가? 런던에 남아 있는 것일까? 아니면 우리를 따라 이곳으로 내려왔을까? 그가 혹시… 바위산에서 봤던 그 기이한 남자일까?

그를 한 번밖에 보지 못했어도 분명하게 말할 수 있는 것이 있다. 그는 이곳 사람이 아니다. 지금까지 나는 이곳에 사는 이웃 사람 모두를 만나봤다. 그는 스테이플턴보다 훨씬 컸고 프랭클랜드보다 훨씬 말랐다. 체격은 배리모어와 비슷했지만 그는 저택에 남아 있었기 때문에 우리를 따라올 수 없었던 것이 확실하다. 정체를 알 수 없는 그 사람은 런던에서 우리를 미행했던 것처럼 여기서도 여전히 따라다니고 있는 것이다. 결국 우리는 항상 미행을 당하고 있었던 것이다. 만약 그가 누구인지 내가 밝혀낸다면 적어도 우리에게 다가오고 있는 위험이 무엇인지 알아낼 수 있을 것이다. 이것을 알아내기 위해 이제부터 내 모든 에너지를 쏟아부어야 한다.

처음에는 이 모든 계획을 헨리 경에게 털어놓고 싶었다. 그러나 다시 생각해보니 가장 현명한 행동은 나만의 작전을 펼치면서 이를 아무에게도 말하지 않는 것이었다. 헨리 경은 요즘 말이 없고 약간 멍한 상태다. 황야에서 그 소리를 들은 이후로 이상할 정도로 신경이 곤두서 있다. 그의 불안감을 부추길 수 있는 그 어떤 얘기도 하지 않고 이 사건을 해결할 수 있도록 조용히 행동해야 한다.

아침 식사 후 작은 소란이 있었다. 배리모어가 헨리 경에게 시간을 내달라고 요청해 그들은 잠깐 동안 단둘이 얘기를 나눴다. 당구대가 있는 방에 앉아 몇 차례 언성이 높아지는 것을 들었다. 무슨 얘기를 나누고 있는지 충분히 짐작이 갔다. 잠시 후 헨리 경이 문을 열고 나를 불렀다. "배리모어가 우리에게 불만이 있답니다." 헨리 경이 설명했다. "자기 스스로 모든 비밀을 털어놨는데 처남을 추격한 것은 정당하지 못했다고 하는군요."

배리모어는 매우 창백한 얼굴이었지만 무척 침착한 모습이었다.

"저는 간절하게 말씀을 드렸다고 생각합니다, 헨리 경." 배리모어가 말을 받았다. "그랬기 때문에 저는 경이 그 상황을 이해해주시리라 믿었습니다. 그런데 두 분께서 처남을 추적하다 오늘 아침에 돌아오셨다는 얘기를 듣고 너무 놀랐습니다. 두 분이 아니더라도 그 불쌍한 녀석은 교도관들의 추적을 피해 도망 다니느라 정신이 없습니다."

"만약 사전에 우리에게 얘기를 했다면 아마 달랐을 거요." 헨리 경이 설명하기 시작했다. "당신은 상황이, 아니 당신 부인이 얘기했다고 봐야겠지. 당신은 도저히 어쩔 수 없는 상황이 되니까 그제야 겨우 얘기하지 않았소?"

"그걸 가지고 얘기하실 줄은 몰랐습니다. 헨리 경, 정말 이러실 줄은 몰랐습니다!"

"그 탈옥수는 사회적으로 매우 위험한 자요. 황야에는 따로 떨어져 사는 집들이 많아요. 녀석은 망설일 게 아무것도 없는 자요. 우리는 한 번만 보고도 그것을 알 수 있었소. 스테이플턴의 집을 생각해보세요, 거기에는 스테이플턴 말고는 아무도 그놈을 막을 사람이 없어요. 그 자가 다시 감옥에 갇힐 때까지 그 누구도 안전하지가 않단 말이오."

"처남은 절대 남의 집에 침입하지 않을 겁니다. 헨리 경, 제가 이것은 분명하게 약속드릴 수 있습니다. 절대 이 지역 사람들에게 어떤 피해도 주지 않을 겁니다. 제가 장담할 수 있습니다. 헨리 경, 며칠만 시간을 주십시오. 처남은 그동안 필요한 것들을 챙겨 남아프리카로 떠날 것입니다. 부디 제발 이렇게 부탁드립니다. 탈옥수 셀던이 아직도 황야에 있다고 절대 경찰에게 알리지 말아주십시오. 그들은 이미 황야 수색을 포기했습니다. 처남이 떠날 배가 올 때까지만 그곳에 숨어 있을 수 있도록 해주십시오. 처남에 대해 얘기하신다면 저와 제 아내는 큰 고통에 빠질 것입니다. 헨리 경, 부디 경찰에게 아무 얘기도 하지 말아주십시오."

"어떻게 생각하세요, 왓슨 선생?"

나는 어깨를 으쓱하고는 대답했다. "만약 아무 말썽 피우지 않고 이 나라 밖으로 나간다면 오히려 그자를 관리하는 데 들어가는 세금을 줄일 수 있을 겁니다."

"하지만 그 녀석이 떠나기 전에 다른 누군가를 해칠 가능성도 있지 않을까요?"

"처남은 절대 그런 짓을 하지 않을 겁니다, 헨리 경. 필요한 것이라면 모두 저희가 제공했습니다. 범죄를 저지르는 것은 자기가 이곳에 숨어 있다고 알리는 짓일 뿐입니다."

"하긴 그렇지." 헨리 경이 대답했다. "배리모어, 그렇다면 뭐…."

"감사합니다, 정말 감사합니다! 처남이 다시 붙잡혔다면 제 불쌍한 아내는 아마 슬픔에 빠져 죽었을 겁니다."

"결국 우리가 중범죄자를 돕고 지원하는 셈이군요. 안 그래요, 왓슨 선생? 하지만 이렇게 장담하는 걸 들었으니 그자를 그냥 놓아준 것은 아니라고 생각해요. 좋아, 이것으로 끝내자고요. 배리모어, 이제 가보세요."

배리모어는 몇 번 더 감사의 인사를 하고 돌아서서 나가다가 잠시 망설이더니 다시 돌아와 얘기를 시작했다.

"경께서는 저희 부부에게 너무 큰 은혜를 베푸셨습니다. 답례로 제가 할 수 있는 최선을 다하고 싶습니다. 헨리 경, 제가 알고 있는 사실이 있습니다. 어쩌면 진작 말씀을 드려야 했는데, 경찰 조사가 끝나고 한참 후에야 저도 알게 되었습니다. 아직까지 그 누구에게도 말하지 않은 사실입니다. 바로 비참하게 돌아가신 찰스 경의 죽음에 관한 얘기입니다."

헨리 경과 나는 동시에 의자에서 벌떡 일어났다. "그분이 어떻게 돌아가셨는지 안단 말인가요?"

"아뇨, 그건 모릅니다."

"그럼 무엇에 관한 건가요?"

"왜 그분이 그 시각에 황야로 나가는 문에 서 계셨는지 압니다. 그건 바로 어떤 여자를 만나기 위해서였습니다."

"여자를 만나기 위해서? 정말입니까?"

"네, 헨리 경."

"그럼, 그 여자 이름은?"

"이름은 저도 모릅니다. 다만 이니셜은 알고 있습니다. L.L.이었습니다."

"배리모어, 당신이 그걸 어떻게 알죠?"

"헨리 경의 백부님께서는 그날 아침에 편지를 받으셨습니다. 찰스 경은 늘 편지를 많이 받으셨습니다. 공인이시고 자선 사업도 많이 하셨기 때문에 어려움에 처한 사람들이 그분에게 도움을 요청하는 경우가 많았습니다. 그런데 그날 아침은 우연히도 그 편지 한 통뿐이었습니다. 그래서 제가 잘 기억하고 있습니다. 그 편지는 쿰 트레이시에서 왔고, 주소는 여자 글씨체였습니다."

"그래서?"

"그 이상은 저도 몰랐습니다. 만약 아내가 아니었다면 그냥 지나쳤을 겁니다. 찰스 경이 돌아가신 후 전혀 들어가지 않다가 몇 주 전 아내가 경의 서재를 청소했습니다. 그런데 벽난로 뒤쪽에서 타나 남은 편지의 일부를 발견했습니다. 대부분은 검게 타버렸지만 마지막 페이지의 일부분은 검은 바탕에 회색이라 아직 읽을 수 있었습니다. 저희가 보기에는 편지 마지막 부분에 쓴 추신 같았습니다. 거기에는 '부디 제 부탁을 들어주세요. 당신이 신사라면 이 편지를 읽고 난 후에는 불태워주세요. 그리고 10시에 황야로 나가는 문에서 만나요.' 그 밑에는 이니셜로 L.L.이 적혀 있었습니다."

"지금도 그것을 가지고 있나요?"

"아닙니다. 저희가 옮길 때 모두 바스라져 버렸습니다."

"백부님이 그 사람으로부터 다른 편지를 받으신 적이 있었습니까?"

"글쎄요. 저는 찰스 경의 편지에 대해서 특별히 살펴본 적이 없습니다. 제가 관심을 가져야 할 부분이 아니었거든요. 오직 그 편지만 기억이 납니다."

"그럼 그 L.L.이 누구인지 짐작 가는 사람은 없나요?"

"네, 헨리 경. 누구인지 모릅니다. 하지만 그 여자분에 대해 알아낸다면 찰스 경의 죽음에 관해서 더 많은 것을 알 수 있을 것입니다."

"이해할 수가 없군. 배리모어, 어떻게 이렇게 중요한 사실을 숨겼단 말이오."

"헨리 경, 셀던이 우리를 찾아오고 난 직후 알게 되어 정신이 없었습니다. 그리고 말씀드렸듯이 저희 부부는 찰스 경을 매우 존경했습니다. 그분이 저희들에게 잘해주셨기 때문에 저희는 모든 것을 고려해야 했습니다. 이런 사실이 알려졌을 때 돌아가신 찰스 경에게 해가 될 수도 있기 때문에 그 사건에 여자가 개입되었다는 사실을 조심스럽게 다뤄야 했습니다. 그것이 최선이었습니다."

"당신 말은 그것이 백부님의 명성에 흠집을 낼 수도 있다는 얘긴 거요?"

"알려져서 좋을 게 없다고 생각했습니다. 하지만 지금 경께서 저희를 이렇게 배려해주시니, 그 사건에 대해 제가 아는 모든 것을 말씀드려야 한다고 느꼈습니다."

"고맙소, 배리모어. 이제 가도 좋아요." 집사가 떠나자 헨리 경이 나에게로 돌아서며 말했다. "왓슨 선생, 이 새로운 실마리에 대해 어떻게 생각해요?"

"이전보다 오히려 더 뭐가 뭔지 모르겠군요."

"저도 그래요. 하지만 우리가 그 L.L.만 찾아낸다면 모든 의문이 다 풀릴 겁니다. 그만큼은 얻은 거죠. 이 사건에 대해 잘 알고 있는 어떤 여자가 있다는 사실을 알았고, 그 여자를 찾기만 하면 됩니다. 이제 어떻게 해야 될까요?"

"우선 홈즈에게 이 모든 사실을 알려야 합니다. 이것이 홈즈가 지금까지 찾고 있는 뭔가의 단서가 될 수도 있습니다. 홈즈에게 알리지 않는다면 큰 착오가 생길 겁니다."

나는 즉시 방으로 들어가서 홈즈에게 보내기 위해 오늘 아침에 있었던 얘기를 기록했다. 베이커 스트리트에 있는 홈즈로부터 받은 답장은 매우 짧고 간략했다. 내가 보낸 정보에 대해서도 별다른 언급이 없었고, 내게 어떻게 하라는 지시도 거의 없었다. 최근 홈즈가 매우 바쁘다는 증거였다. 자신이 맡고 있는 협박 편지 사건에 온통 정신이 팔려 있는 것이다. 하지만 이 새로운 사실이 홈즈의 관심을 이쪽으로 돌리도록 분명 새로운 흥미를 불러일으킬 것이다. 홈즈가 빨리 이쪽으로 왔으면 좋겠다.

10월 17일. 하루 종일 비가 내려 처마 끝의 담쟁이덩굴이 바스락거리면서 떨어져 내림. 나는 황량하고 춥지만 쉴 곳이 없는 황야에 있는 탈옥수를 생각했다. 불쌍한 악마! 그는 끔찍한 범죄를 저질러 지금 그에 상응하는 고통을 받고 있는 것이다. 그리고 또 다른 얼굴을 떠올렸다. 마차에 타고 있던 인물, 달을 배경으로 서 있던 사람. 이렇게 비가 많이 오는데 그들도 밖에 나와 있을까? 미지의 감시자, 어둠 속의 그 남자. 저녁에는 우비를 입고 물이 크게 불어난 황야의 멀리까지 걸어가 보았다. 완전한 어둠 속에서 비는 연신 내 얼굴을 때리고 바람은 휙휙 소리를 내며 얼굴을 스쳐갔다. 신이 거대한 늪 주변을 서성이는 모든 것들을 돕기 바랄 뿐이었다. 심지어 단단한 고지대조차도 점차 습지로 바뀌고 있었다. 나는 그날 밤 그 괴이한 감시자가 서 있던 검은 바위산을 찾아갔다. 울퉁불퉁한 꼭대기에 서서 나는 직접 음습한 황야를 내려다봤다. 비바람이 황야의 적갈색 얼굴 위로 몰려다니고, 낮게 깔린 무겁고 우중충한 회색 구름이 몽환적인 느낌을 주는 언덕 아래에 회색 화환처럼 걸려 있었다. 왼쪽으로 반쯤 안개에 가려진 채 보이는 저 멀리 빈 공간에는 나무 위로 우뚝 솟은 바스커빌 저택의 길쭉한 두 개의 탑이 보였다. 언덕의 경사면에 밀집해 있는 선사시대 오두막을 제외하고는 그 탑들이 내가 볼 수 있는 유일한 인간의 흔적이었다. 그 어디에도 이틀 전 밤에 여기 서 있던 남자의 흔적은 없었다.

걸어서 저택으로 돌아가던 길에 나는 파울마이어 마을의 농부 집에 다녀오던 모티머 씨의 이륜마차에 억지로 타야 했다. 모티머 씨는 나와 헨리 경에게 늘 관심이 많아 최근에 우리가 어떻게 지내는지 보러 날마다 저택을 찾아왔다. 모티머 씨는 걷고 있던 나를 보더니 반강제로 자신의 마차에 태워 저택까지 데려다 주었다. 이 시골 의사는 요즘 자신의 작은 스패니얼이 어디론가 사라져 크게 걱정을 하고 있었다. 황야 부근을 돌

아다니더니 아직까지 돌아오지 않았다고 한다. 나는 친구로서 상심하고 있던 모티머 씨를 위로했다. 하지만 속으로는 그림펜 늪에서 봤던 조랑말을 떠올렸다. 모티머 씨가 다시 그 개를 볼 수 있을 것 같지 않았다.

"그런데, 모티머 씨." 거친 길 위에서 마차는 심하게 덜컹거렸다. "이 근처에는 모티머 씨가 모르는 사람들도 몇 명 살고 있을 것 같은데요?"

"거의 없을 걸요, 아마."

"그럼 혹시 이니셜이 L.L.인 여성을 알고 계십니까?"

모티머 씨는 잠시 생각에 잠겼다.

"아니오." 우리의 친구가 대답했다. "제가 알지 못하는 몇몇 집시들과 노동자들이 있기는 합니다. 그러나 농부나 일반 사람들 중에서는 그런 이니셜을 쓰는 사람은 없습니다. 아, 잠깐만요." 그는 잠시 더 생각했다. "아, 로라 라이언스 부인이 있군요. 부인의 이니셜이 L.L.입니다. 하지만 그 부인은 쿰 트레이시에 삽니다."

"그 부인이 누구죠?" 내가 재차 물었다.

"프랭클랜드의 딸입니다."

"아, 그 괴짜 늙은이 프랭클랜드요?"

"맞습니다. 부인은 황야에 그림을 그리려고 왔던 라이언스라는 화가와 결혼했어요. 그런데 그자는 아주 몹쓸 놈이었고 그녀는 버림받았죠. 그런데 제가 들은 바로는 어느 한쪽의 잘못만은 아니었던 것 같습니다. 프랭클랜드가 자기 딸을 위해 아무것도 하지 않았는데, 딸이 자신의 허락 없이 결혼했기 때문이기도 하지만 그 외에 또 다른 한두 가지 이유가 있었다고 합니다. 그래서 결국 나이 먹은 그 못된 놈과 젊은 여자는 아주 힘든 시간을 보냈다고 하더군요."

"그 부인은 어떻게 생활하고 있나요?"

"제가 알기로는 아버지가 생활비를 조금 주고 있어요. 충분하지는 않지만요. 프랭클랜드 씨 본인이 여러 소송에 휘말려 있잖아요. 아무런 희망도 없는 끔찍한 생활에서 벗어나기 위해서 부인은 뭐라도 해야 하는 상황이었죠. 이런 얘기가 알려지자 여기에 사는 몇몇 사람들이 부인이 정당하게 돈을 벌 수 있도록 도와주었어요. 스테이플턴도 일을 주고, 찰스 경도, 저도 작은 일을 주었죠. 그런 일들이 모여 부인이 문서 작성 대행 사업을 할 수 있었습니다."

모티머 씨는 내가 왜 그런 질문을 하는지 궁금해했지만 나는 많은 얘기를 하지 않고 적당히 둘러댔다. 이 사건에 여러 사람을 끌어들일 이유가 없었기 때문이다. 내일 아침 쿰 트레이시로 가봐야겠다. 만약 이 수상쩍은 소문의 로라 라이언스에 대해 알아낸다면, 괴이하게 연속되는 사건을 해결하기 위해 달려온 긴 여정에서 중요한 사실 하나를 밝혀내는 셈이다. 확실히 내 잔꾀가 늘고 있는 것이 분명했다. 모티머 씨가 집요하게 질문을 해오자 나는 그에게 프랭클랜드의 두개골은 어떤 유형에 속하냐고 지나가듯 물어봤다. 모티머 씨는 더 이상 질문하지 않고 저택으로 돌아오는 내내 두개골에 대한 설명을 계속했다. 홈즈와 몇 년 동안 함께하면서 배운 기술이었다.

비바람이 사납게 몰아친 우중충한 날에 마지막으로 기록해야 할 한 가지가 더 있다. 방금 전에 배리모어와 얘기를 나눴는데, 언제가 유용하게 써먹을 수 있는 사실이 있었다.

모티머 씨는 우리와 함께 저녁을 먹고 헨리 경과 카드놀이를 하고 있었다. 배리모어가 서재에 있는 나에게 커피를 가지고 왔다. 몇 가지 질문을 할 좋은 기회였다.

"배리모어, 당신 처남은 여기를 떠났나요? 아니면 아직 저기 어딘가에 숨어 있나요?"

"잘 모르겠습니다. 저희도 처남이 하루빨리 떠나기를 바라고 있습니다. 여기 있으면 오직 문제만 생길 뿐입니다. 사흘 전 마지막으로 음식을 가져다준 이후로는 아직 아무 소식도 듣지 못했습니다."

"전혀 보지 못했다고요?"

"네, 하지만 제가 다음 날 가보니 남은 음식은 없었습니다."

“그렇다면 분명히 저기 있기는 했군요.”

“저도 그렇게 생각합니다. 또 다른 누군가가 가져간 게 아니라면요.”

나는 커피 잔을 입술로 반쯤 가져가다 다시 배리모어에게 질문을 했다.

“그럼, 저기 다른 사람이 있단 말이오?”

“네, 왓슨 선생님. 저 황야에는 또 다른 사람이 있습니다.”

“그자를 본 적이 있소?”

“아닙니다.”

“그럼 어떻게 알죠?”

“셀던이 그 사람에 대해 얘기한 적이 있습니다. 일주일쯤 전에요. 그 역시 숨어 있는 은둔자인데, 제가 아는 한 죄수는 아닙니다. 저는 그 사람이 싫습니다. 왓슨 선생님, 솔직히 말씀드려서 그 사람 때문에 불안합니다.” 배리모어는 갑자기 매우 진지한 어조로 목소리를 높였다.

“배리모어, 내 말 좀 들어보세요. 나는 당신 주인의 일이 아니면 아무것도 관심이 없어요. 내가 여기 온 이유는 오직 헨리 경을 돕기 위해서지 다른 이유는 없소. 솔직하게 말해주시오. 당신이 불안해하는 게 도대체 뭐요?”

배리모어는 잠깐 동안 망설였다. 자신의 속내를 내보인 것을 후회하는 것도 같았고, 자신의 감정을 표현할 적당한 말을 찾는 것도 같았다.

“어떤 음모가 진행 중인 게 분명합니다.” 배리모어는 빗줄기가 세차게 때리는 황야 쪽으로 난 창문을 향해 손짓을 하며 소리쳤다. "저기 어딘가에 뭔가가 있어요. 뭔가 흉측한 계획이 세워지고 있어요. 저는 분명하게 느낄 수 있습니다. 왓슨 선생님, 저는 헨리 경이 런던으로 다시 돌아가는 것을 보면 무척 안심이 될 것 같습니다."

"하지만 도대체 뭘 걱정하는 건가요?"

"찰스 경의 죽음을 보세요! 그것은 아주 불길한 일입니다. 검시관의 얘기도 그렇고요. 한밤중에 황야에서 들리는 그 괴이한 울음소리도 생각해보세요. 죽고 싶은 사람이 아니라면 해가 진 후에 황야를 돌아다니는 사람은 없을 겁니다. 그런데 저기 숨어서 뭔가를 기다리는 정체를 알 수 없는 저 사람을 보세요. 그가 기다리는 게 뭐겠습니까? 이게 뭘 의미하겠습니까? 이것은 바스커빌 사람에게는 좋을 것이 하나도 없는 일입니다. 헨리 경의 새로운 하인들이 이 저택을 맡을 준비가 되면 저는 아주 기쁜 마음으로 이 집을 떠나고 싶습니다."

"그 이상한 남자 말이오, 그자에 대해 해줄 말은 없나요? 셀던이 뭐라고 하던가요? 그자가 숨어 있는 곳을 찾았다고 하던가요? 아니면 그자가 뭘 하는지 말하지 않던가요?"

"처남은 그 사람을 한두 번 봤지만 속을 알 수 없는 사람이라 아무것도 모른다고 했습니다. 처음 그 사람을 봤을 때는 경찰이라고 생각했는데, 금방 그런 사람이 아니라는 것을 알았답니다. 보기에는 신사처럼 보였지만, 뭘 하는지는 알 수가 없다고 했어요."

"그럼 어디에 산다고 하던가요?"

"언덕의 비탈에 있는 옛날 오두막 중 하나예요. 옛날 사람들이 살았던 그 돌 오두막 말입니다."

"그럼 음식은 어떻게 하고?"

"처남 말에 의하면 그 사람을 도와주는 소년이 있어서 필요한 것을 갖다 준다고 합니다. 제 생각엔 그 사람은 자신에게 필요한 것이 있으면 쿰 트레이시에 가는 것 같아요."

"고맙소, 배리모어. 나중에 다른 시간에 좀 더 얘기하도록 해요." 집사가 나가고 나자 나는 컴컴한 창가로 걸어가 흐릿한 창문 사이로 흘러가는 구름과 바람에 흔들리는 나무의 윤곽을 바라보았다. 집 안에서 봐도 이렇게 힘들어 보이는데, 황야의 돌 오두막은 더할 나위 없을 것이다. 도대체 어떤 원한이 있기에 이런 궂은 날씨에 그 남자는 저런 험한 장소에 숨어 있는 것일까! 과연 얼마나 깊고 간절한 목적이 있어 저런 고된 시련을 견디는 걸까! 저 황야의 오두막이야말로 나를 이토록 간절하게 고민하게 만드는 문제의 핵심이 있는 곳 같았다. 언제가 이 문제를 반드시 확인해보리라. 그 남자의 비밀을 캐내기 위해 할 수 있는 모든 일을 다할 것이다.

11
바위산 위의 사나이

앞 장은 내 일기에서 인용한 내용으로 10월 17일까지의 일을 서술했다. 그 기간은 이 이상한 사건들이 끔찍한 결론을 향해 숨 가쁘게 전개되기 시작한 순간이었다. 그다음 며칠 동안 일어난 사건들은 내 기억 속에 지워지지 않을 정도로 선명하게 남아 있어, 당시 쓴 일기를 참고하지 않더라도 얘기할 수 있다. 매우 중요한 두 가지 사실을 알게 된 그다음 날부터 이야기를 다시 시작하겠다.

쿰 트레이시에 사는 로라 라이언스 부인은 헨리 바스커빌 경에게 편지를 보내 경이 죽은 바로 그 장소, 그 시각에 만나자고 약속을 했다. 황야에 숨어 사는 그 남자는 언덕의 경사면에 있는 돌 오두막 중 한 곳에 사는 것으로 밝혀졌다. 새로 알게 된 이 두 가지 사실을 가지고도 비밀에 싸인 이 어두운 곳을 새로운 빛으로 밝히지 못한다면, 나는 나 자신이 지적인 면과 용기, 둘 다 부족하다는 것을 절감하게 될 것이다.

헨리 경에게는 전날 저녁에 알게 된 라이언스 부인에 대해 얘기할 시간이 없었다. 모티머 씨가 늦게까지 남아 경과 카드 게임을 했기 때문이다. 아침 식사 시간에 나는 경에게 새롭게 알게 된 내용을 얘기하고, 함께 쿰 트레이시에 가겠냐고 물었다. 처음에 경은 그곳에 무척 가고 싶어 했다. 그러나 다시 생각해보니 우리 두 사람 모두 가는 것보다는 나 혼자 가는 것이 더 좋을 것 같았다. 너무 거창하게 그곳을 방문하면 우리가 얻고자 하는 정보를 오히려 더 적게 얻게 될 것이다. 전혀 망설임이 없었던 것은 아니지만 결국 나는 헨리 경을 혼자 남겨두고 새로운 조사를 위해 저택을 나섰다.

쿰 트레이시에 도착하자 나는 마부 퍼킨스에게 마차를 근처에 세워두라고 지시하고, 부인에 대한 조사에 들어갔다. 마을 중앙에 있는 잘 꾸며진 부인의 집을 찾는 것은 어렵지 않았다. 하녀가 무뚝뚝한 얼굴로 나를 맞아 거실로 안내했다. 거실의 레밍턴 타자기 앞에 앉아 있던 부인은 자리에서 일어나 얼굴 가득 환영의 미소를 띠고 나를 맞았다. 그러나 내가 낯선 사람이라는 사실을 알고 곧 미소를 거두며 다시 자리에 앉아 왜 왔는지 물었다.

부인은 첫눈에 보기에도 매우 아름다웠다. 적갈색의 눈과 머리카락, 주근깨가 많기는 했지만 뺨에는 머리카락과 잘 어울리는 홍조를 띠고 있었는데, 노란 장미 한가운데 숨은 우아한 분홍 장미 같았다. 다시 한 번 말하지만 처음 봤을 때는 감탄할 정도로 아름다웠다. 그러나 자세히 보면 조금 달랐다. 얼굴 전체적으로 뭔가 약간 부족한 느낌이었다. 어딘가 모르게 사납게 느껴졌다. 특히 냉정하게 보이는 눈과 뭔가 정직하지 못한 느낌의 입술은 부인의 아름다움을 반감시켰다. 물론 이런 사실은 자세히 보지 않으면 알기 어려웠다. 아무튼 지금 당장은 눈앞에 있는 여자의 아름다움에 놀라고 있었는데, 부인이 방문 목적을 물었다. 나는 잠시 동안 내가 여기 온 이유가 매우 민감한 문제라는 사실을 잊고 있었다.

"저는 부인의 아버님을 잘 알고 있습니다." 나는 얼떨결에 그렇게 대답했다.

무척 바보 같은 대답이었고 부인의 얘기에서 그것을 바로 알 수 있었다. "저와 아버지는 별로 닮은 점이 없습니다. 저는 아버지에게 도움 받은 일도 거의 없고요. 아버지의 친구분들도 잘 모릅니다. 돌아가신 찰스 바스커빌 경과 다른 분들의 호의가 없었다면 아버지의 도움을 기대했을지도 모르지만요."

"제가 여기 부인을 뵈러 온 것은 찰스 바스커빌 경에 관한 일 때문입니다."

부인의 얼굴이 갑자기 심각하게 변했다.

"무슨 얘기가 궁금하시죠?" 부인은 타자기 앞에서 신경질적으로 손가락을 움직였다.

"찰스 경을 알고 계셨죠? 그렇죠?"

"제가 이미 말씀드린 것처럼 그분에게 큰 신세를 졌어요. 제가 이렇게 혼자 자립할 수 있었던 것은 찰스 경이 제 어려운 사정을 아시고 큰 도움을 주셨기 때문입니다."

"경에게 편지를 보내셨죠?"

“무엇 때문에 그런 질문을 하시죠?” 부인이 거칠게 반문했다.

“추잡한 소문을 막기 위해서입니다. 이상한 소문이 저희들의 손을 벗어나 외부에 알려지지 못하도록 지금 여기서 확인하려는 것입니다.”

부인은 말이 없었고 얼굴은 더욱 창백해졌다. 잠시 후 부인은 아무것도 개의치 않는다는 듯 도전적인 태도로 나를 올려다봤다.

“다시 질문할게요. 정확히 뭐가 궁금하시죠?”

“찰스 경에게 편지를 보내셨나요?”

“한두 차례 보냈습니다. 그분의 자상함과 관대함에 감사드리는 뜻에서요.”

“편지를 보낸 날짜를 기억하시나요?”

“아니오.”

“찰스 경을 만난 적이 있나요?”

“네, 그분이 여기 쿰 트레이시에 오셨을 때 한두 번 만난 적이 있습니다. 그분은 완전히 은퇴하신 분이라 남을 돕는 일도 조용히 하기를 원하셨어요.”

“만약 부인이 그분과 만난 적도 별로 없고 편지도 거의 쓰지 않았다면, 찰스 경이 어떻게 부인의 생활이 도움이 필요할 정도로 힘들다는 것을 알았죠? 아까 얘기하신 것처럼 그분이 많은 도움을 주셨다면서요?"

내가 까다로운 질문을 던졌지만 부인은 만반의 준비가 되어 있었다.

"몇몇 신사분들이 제 불행한 얘기를 아시고 함께 힘을 합쳐 도와주셨어요. 그중 한 분이 스테이플턴 씨인데, 찰스 경과 가까운 이웃으로 매우 친하게 지내셨어요. 스테이플턴 씨는 무척 좋은 분이시고, 그분을 통해 찰스 경도 제 사정을 알게 되셨죠."

이미 찰스 경이 종종 스테이플턴을 통해 남을 도왔다는 것을 알고 있었기 때문에 부인의 말은 사실인 것 같았다.

"전에 찰스 경에게 만나고 싶다고 편지를 보낸 낸 적이 있으신가요?" 내가 재차 질문했다.

라이언스 부인은 다시 화를 냈다. "정말로 예의에 벗어나는 질문을 하시는군요."

"정말 죄송합니다, 부인. 하지만 저는 꼭 알아야 합니다."

"그렇다면 대답하죠. 그런 적 없습니다."

"찰스 경이 돌아가신 날에 만나자고 한 일이 없었나요?"

순식간에 부인의 얼굴에서 핏기가 사라지고 납처럼 창백해졌다. 부인의 마른 입술은 심지어 '아니오'라는 말조차 못 했지만, 나는 귀로 듣기보다 눈으로 보는 것만 같았다.

"기억이 안 나시는 모양이군요. 필요하다면 부인께서 보내신 편지의 일부를 말씀드리겠습니다. '부디 제 부탁을 들어주세요. 당신이 신사라면 이 편지를 읽고 난 후에는 불태워주세요. 그리고 10시에 황야로 나가는 문에서 만나요' 이렇게 쓰셨죠."

부인은 거의 기절할 지경으로 보였지만 안간힘을 쓰며 정신을 차렸다.

"세상에 신사 같은 건 없는 모양이군요?" 부인이 짧게 내뱉었다.

"찰스 경에 대해 오해하지 마십시오. 경은 분명 편지를 불태웠습니다. 하지만 종종 태운 편지라도 읽을 수 있는 경우가 생기죠. 지금 그 편지를 쓰셨다는 사실을 인정하시는 건가요?"

"그래요. 제가 썼어요." 라이언스 부인은 더 이상 참지 못하겠다는 듯 속에 있는 말을 쏟아냈다. "제가 쓴 게 맞아요. 제가 왜 아니라고 해야 하죠? 저는 하나도 부끄러울 게 없어요. 그분이 절 그냥 도와주기 바랐을 뿐이에요. 만나서 사정 얘기를 하면 도움을 받을 수 있을 거라고 믿었어요. 그래서 만나달라고 했던 것입니다."

"그럼, 왜 그렇게 늦은 시각에?"

"왜냐하면 찰스 경이 다음 날 런던으로 가 몇 개월 동안 머물 거라는 얘기를 들었기 때문이에요. 그리고 제가 그 시각보다 빨리 거기에 갈 수 없는 사정이 있었어요."

"그렇다면 왜 저택으로 오지 않고 그 문에서 만나자고 하셨습니까?"

"그렇게 늦은 시간에 여자 혼자 그 집에 갈 수 있겠어요?"

"음, 그럼 두 분이 만났을 때 무슨 일이 있었죠?"
"전 가지 않았어요."
"라이언스 부인!"
"정말이에요. 하늘에 대고 맹세할 수 있어요. 전 절대 가지 않았어요. 가려고 했지만 일이 생겨 갈 수가 없었어요."
"그게 무슨 일이었죠?"
"개인적인 일입니다. 그건 말할 수 없어요."
"부인은 지금 찰스 경이 죽은 그 시각, 그 장소에서 경과 만나기로 약속을 했다는 사실을 인정했습니다. 그런데 이제 와서 거기 가지 않았다고 부인하고 계시네요."
"그게 사실입니다."
하고 또 하고 여러 차례 그녀를 심문했지만 진전이 없었다.
"라이언스 부인." 마침내 나는 결론 없이 길게 이어지는 대화를 끝내기 위해 일어서면서 물었다. "부인은 지금 찰스 경의 죽음에 상당한 책임이 있고, 부인이 알고 있는 모든 것을 분명하게 밝히지 않음으로써 매우 불리한 처지에 놓였습니다. 제가 만약 경찰을 불러 부인을 조사한다면 상당히 곤란해질 것입니다. 그리고 부인이 감출 것이 없었다면 왜 맨 처음에 찰스 경에게 만나자는 편지를 썼다는 사실을 부인하셨습니까?"
"그런 사실을 얘기하면 이상한 쪽으로 결론이 나서 제 자신이 추문에 휘말릴까 봐 두려웠기 때문입니다."
"그럼 왜 찰스 경에게 그 편지를 불태우라고 그토록 간절하게 요청하셨습니까?"

"그 편지를 읽었다면 알 거예요."

"저는 그 편지를 다 읽지 않았다고 말씀드렸습니다."

"그 편지의 일부를 인용하셨잖아요."

"전 단지 추신을 인용했을 뿐입니다. 제가 말씀드렸듯이 그 편지는 불태워졌기 때문에 다 읽을 수가 없었습니다. 다시 한 번 질문을 드리죠. 찰스 경이 죽은 날 받은 그 편지를 불태워 버리라고 왜 그토록 간절하게 부탁하셨습니까?"

"그것은 매우 사적인 일이라 얘기할 수 없습니다."

"그보다 경찰 수사를 피하시는 게 더 중요하지 않을까요?"

"그렇다면 말씀드리죠. 만약 선생님이 저의 불행한 인생에 대한 얘기를 들으시면 제가 얼마나 경솔하게 결혼을 했는지, 그것을 후회할 만한 충분한 이유가 있다는 것을 아시게 될 겁니다."

"저도 얘기 들었습니다."

"저는 보기만 해도 끔찍한 남편에게 끊임없이 학대받으며 살았어요. 법은 남편의 편이었고, 저는 억지로 남편과 살아야 하는 현실을 매일 직면해야 했죠. 그때 찰스 경에게 그 편지를 보냈어요. 얼마간의 비용만 있으면 제가 다시 자유롭게 살 수 있는 가능성이 있다는 것을 알았기 때문이죠. 그 편지는 제 마음의 평화와 행복, 자존심을 되살릴 수 있는 저의 전부였어요. 찰스 경이 마음이 후하다는 것을 알았기 때문에 그분이 제 얘기를 직접 들으면 도와주실 거라고 생각했어요."

"그렇다면 왜 약속 장소에 안 나가신 거죠?"

"왜냐하면 그때 마침 다른 사람에게서 도움을 받았거든요."

"그럼 왜 찰스 경에게 편지를 보내서 그런 사정을 설명하지 않았습니까?"

"그렇게 하려고 했어요. 찰스 경이 죽지 않았다면 그다음 날 편지를 보내려고 했어요."

부인의 얘기는 시종일관 논리적이어서 질문을 통해 허점을 발견하기 어려웠다. 부인이 찰스 경의 사건이 있을 무렵에 남편과 이혼하기 위한 절차를 밟고 있었다는 사실만을 겨우 확인했다.

라이언스 부인이 당시 바스커빌 저택에 가지 않았다는 말은 사실인 것 같았다. 만약 부인이 그 시각에 바스커빌 저택에 있었고, 부인이 헨리 경을 유인하는 미끼였다면, 부인은 다음 날 아침 이른 시각까지 쿰 트레이시에 돌아갈 수 없었을 것이다. 그 정도의 움직임이 비밀로 지켜지기는 어렵기 때문이다. 그렇다면 부인은 부분적일지언정 사실을 말하고 있는 것 같았다. 난처했다. 다시 한 번 막다른 골목에 이르렀다. 이 사건을 조사하면 할수록 모든 방향에서 길을 막고 있는 이 벽을 만나게 되었다. 그리고 부인의 얼굴 표정과 행동을 돌이켜보면 볼수록 뭔가를 감추고 있다는 것을 더 크게 느낄 수 있었다. 왜 그녀는 그렇게 얼굴이 창백해졌을까? 왜 모든 것을 감추고 있다가 어쩔 수 없는 상황이 돼서야 이야기를 하는 걸까? 어떻게 그 비극적 사건에 대해 저렇듯 침묵할 수 있을까? 틀림없이 이 모든 것을 설명할 수 있는 진실은 내가 자기의 말을 믿어주기 바라는 부인의 마음처럼 순수하지 않을 것이다. 하지만 당장은 거기서 더 조사를 진행할 수가 없었다. 황야의 돌 오두막 중 한 곳에 살고 있는 또 다른 단서를 확인해야만 했기 때문이다.

그러나 이것이야말로 가장 모호한 단서였다. 나는 그것을 곧 깨달았다. 마차를 타고 돌아가면서 선사 시대 사람들의 흔적이 있는 언덕이 얼마나 많은지를 보았다. 배리모어는 단지 여기 버려진 오두막 어딘가에 그 낯선 사람이 산다고 말했을 뿐이다. 그러나 수백 개의 오두막이 넓고 길게 황야의 여기저기에 흩어져 있었다. 다행히 나는 그 수상한 남자가 검은 바위산 정상에 서 있던 모습을 본 적이 있었다. 그래서 그곳을 중심으로 조사를 시작할 생각이었다. 거기서부터 그 사람이 사는 곳을 찾을 때까지 황야의 모든 오두막을 확인해야 한다. 만약 그자가 있는 곳을 발견한다면 어쩌면 그때 내 리볼버가 필요할지도 모르겠다. 그자의 입을 통해 직접 누구이며 왜 우리를 그토록 오랫동안 미행했는지 알아낼 수 있을 것이다. 복잡한 리젠트 스트리트에서는 우리를 따돌릴 수 있었지만 이렇게 고립된 황야에서는 그렇게 하기 힘들 것이다. 다른 한편으로는 내가 그자의 오두막을 찾더라도 그자가 거기 없다면, 돌아올 때까지 아무리 시간이 걸리더라도 거기 남아 기다려야 한다고 생각했다. 홈즈는 런던에서 그 남자를 놓쳤다. 홈즈가 놓친 그자를 내가 잡는다면 이것이야말로 내게 정말 큰 영광이 될 것이다.

이번 사건 조사에서 우리는 계속 운이 없었다. 하지만 지금

이 순간에는 적어도 운이 조금 따르고 있었다. 나에게 행운을 가지고 온 남자는 다름 아닌 프랭클랜드였다. 노인은 내가 마차를 타고 지나가는 큰길을 향해 열려 있는 정원 출입문 밖에서 회색 구레나룻을 기른 붉은 얼굴로 서 있었다.

"안녕하시오, 왓슨 선생." 노인이 평소에는 볼 수 없던 공손한 태도로 인사를 했다. "잠깐 말을 쉬게 하고 저희 집에 들어오셔서 와인 한잔 하시면서 저를 축하해주세요."

이 괴팍한 노인이 자신의 딸을 어떻게 대했는지 얘기를 들은 후부터 그다지 호의적인 감정을 가지고 있지 않았다. 하지만 빨리 마부 퍼킨스와 마차를 저택으로 돌려보내고 싶었는데, 마침 좋은 기회였다. 퍼킨스에게 저녁 시간에 맞춰 가겠다고 헨리 경에게 전해달라고 하면서 마차에서 내렸다. 그리고 프랭클랜드를 따라 집 안의 식당으로 들어갔다.

"오늘은 정말 저에게 좋은 날입니다, 왓슨 선생. 제 인생에서 기념할 만한 날이죠." 프랭클랜드는 좋아서 키득거리며 외쳤다. "두 가지 소송에서 모두 승리했습니다. 이 소송을 통해 그들에게 법이 우선이라는 것을 가르쳐주고 싶었어요. 이 지역에 법을 전혀 두려워하지 않는 사람이 있었거든요. 드디어 미들턴 영감의 정원 중앙에서부터 그 영감의 집 현관문 앞 90미터까지 지나갈 수 있는 통행권을 확보했습니다. 어떻게 생각하세요? 그런 지역 유지들에게 우리 같은 평민이라도 함부로 대해서는 안 된다는 것을 가르쳐줄 겁니다. 어떠냐, 이놈들아! 그리고 펜워디 사람들이 전에 소풍을 다니던 숲을 폐쇄했어요. 이 못된 사람들이 그곳이 사유지인지도 모르고 떼로 놀러와 온갖 쓰레기와 병을 버리지 뭡니까. 왓슨 선생, 이 두 가지 소송에서 모두 제가 이겼습니다. 이런 날은 제가 존 몰런드 경이 야생 조수 사육장에서 사냥을 했다는 이유로 불법 침입 소송을 해 이긴 이후로는 처음입니다."

"도대체 어떻게 이길 수 있었나요?"

"여기 이 책을 좀 보십시오. 볼 만할 겁니다. '프랭클랜드 대 몰런드 사건', 왕좌 재판소. 소송 비용이 200파운드지만 제가 이겼지요."

"소송에 이기면, 뭐 좋은 게 있나요?"

"아니오, 왓슨 선생, 없습니다. 저는 자신 있게 말할 수 있습니다. 그런 것에는 관심이 없습니다. 저는 오로지 공적인 차원에서 이 일을 한 겁니다. 두고 보세요. 분명히 오늘 밤 펜워디 사람들이 제 인형을 불태울 겁니다. 저는 지난번에 마을 사람들이 제 인형을 불태웠을 때 경찰에게 저런 인신공격적인 행동은 막아야 한다고 분명히 얘기했습니다. 지역 경찰대는 저를 무척 괘씸하게 생각하기 때문에 제가 보호받을 자격이 있음에도 불구하고 그렇게 하지 않았습니다. '프랭클랜드 대 국가의 소송'은 공개적인 관심을 끌기 위해 이 문제를 다룰 것입니다. 경찰에게 저를 그렇게 대우한 것을 후회하게 될 거라고 얘기했습니다. 그런데 벌써 제 얘기가 현실이 되고 있어요."

"어떻게요?" 내가 다시 물었다.

프랭클랜드는 매우 우쭐한 표정으로 계속 자랑을 늘어놓았다. "제가 경찰에게 얘기했어요. 그들이 정말로 알고 싶어 하는 것을 내가 알고 있지만 어떤 경우에도 말하지 않겠다고요."

지금까지 나는 빨리 프랭클랜드의 잡담에서 벗어날 생각으로 여러 가지 얘기를 던지고 있었지만, 지금부터는 정말로 더 많은 얘기를 듣고 싶었다. 나는 커다란 관심을 보이면 금방 얘기를 중단하는 이 늙은 심술쟁이의 청개구리 같은 성격을 잘 알고 있었다.

"아, 밀렵 사건을 말하는군요." 나는 일부러 무관심한 척 얘기를 던졌다.

"하하, 왓슨 선생, 그것보다 훨씬 더 중요한 거죠! 황야에 있는 탈옥수 얘기라면 어떨까요?"

나는 프랭클랜드를 똑바로 바라보며 물었다. "정말로 그자가 있는 곳을 안다는 얘기는 아니죠?"

"그놈이 있는 곳을 정확히 알지는 못합니다. 하지만 경찰이 그놈을 잡을 만큼은 어디에 있는지 확실하게 알고 있습니다. 그놈을 잡을 수 있는 방법을 정 모르겠다면 그놈이 어디서 음식을 구하는지 확인해서 그것을 추적하면 잡을 수 있지 않을까요?"

확실히 프랭클랜드는 탈옥수에 대한 어떤 사실을 알고 있는 것 같았다. "물론이죠. 그렇지만 그자가 황야의 어디에 있는지 어떻게 알 수 있죠?"

"저는 알고 있습니다. 제 두 눈으로 그놈에게 음식을 가져다주는 사람을 똑똑히 봤거든요."

배리모어가 퍼뜩 떠올랐다. 참견하기 좋아하는 이 늙은 심술쟁이가 그 사실을 알았다니 매우 심각한 문제였다. 그러나 노인의 다음 얘기가 내 모든 걱정을 덜어줬다.

"그놈에게 음식을 가져다주는 사람이 소년이라는 사실을 알면 무척 놀랄 겁니다. 저는 옥상에 설치한 망원경을 통해 그 아이를 매일 봅니다. 그 아이는 매일 같은 시각에 똑같은 길을 따라다니는데, 탈옥수가 아니라면 누구에게 가겠어요?"

이건 정말 행운이었다! 하지만 나는 전혀 관심이 없는 척했다. "소년이 맞군요! 배리모어가 그 탈옥수에게 음식을 가져다주는 사람이 소년이라고 말한 적이 있어요. 하지만 거기가 소년이 다니는 길이지 탈옥수가 있는 곳은 아니잖아요."

이 말에 프랭클랜드는 조금 망설였다. 만약 이 노인이 알고 있는 것을 내가 알아낸다면 황야의 그 남자를 찾기 위한 길고 힘든 시간을 단축할 수 있을 것이다. 그러기 위해서 나는 짐짓 믿을 수 없다는 듯 관심 없는 척을 하며 말을 던졌다.

"제가 보기에는 황야의 양치기 자식 중 한 명이 아버지에게 저녁을 가져다주는 것처럼 들리는군요."

자신의 말을 믿을 수 없다는 내 말에 프랭클랜드는 극도로 화를 냈다. 적의로 가득 찬 눈으로 나를 노려봤고, 노인의 회색 구레나룻은 성난 고양이 털처럼 곤두섰다.

"정말입니다. 왓슨 선생!" 프랭클랜드는 넓게 펼쳐진 황야를 가리키며 대답했다. "저 멀리 있는 검은 바위산 보이시죠? 저쪽에 가시나무 덤불이 있는 낮은 언덕 보이시나요? 이 황야 전체에서 가장 돌이 많은 곳 말입니다. 저런 곳이 양치기가 양을 몰고 갈 만한 장소인가요? 선생의 얘기는 정말 말도 안 돼요!"

나는 그런 사실을 알지 못하고 잘못 얘기했다고 순순히 대답했다. 나의 이런 모습에 프랭클랜드는 아주 좋아하며 더 많은 얘기를 꺼내놓았다.

"아마 그랬을 겁니다, 왓슨 선생. 저는 분명한 사실을 바탕으로 얘기하고 있습니다. 저는 아주 여러 차례 그 소년이 보따리를 메고 가는 것을 봤습니다. 매일 말입니다. 어떨 때는 하루에 두 번씩도 볼 수 있었어요. 잠깐만요, 왓슨 선생. 내 눈이 잘못 된 게 아니라면 저쪽 언덕 경사면에 지금 뭔가 움직이는 것이 있군요."

저 멀리 몇 킬로미터 떨어진 곳이었지만, 나는 엷은 푸른색과 갈색 배경과는 구분되는 별도의 작은 검은색 점을 분명하게 볼 수 있었다.

"이리 오세요, 선생. 빨리요!" 프랭클랜드가 소리치며 위층으로 뛰어 올라갔다. "눈으로 직접 보시고 판단해보세요."

삼각대 위에 설치된 성능이 무척 좋아 보이는 망원경은 함석지붕 위로 길게 나와 있었다. 프랭클랜드가 망원경을 들여다보더니 기쁨의 함성을 질렀다.

"빨리요, 왓슨 선생. 서둘러요, 녀석이 언덕을 다 지나가기 전에요."

분명히 작은 사내아이가 어깨에 보따리를 메고 천천히 언덕을 오르고 있었다. 소년이 언덕 정상에 오르자 누더기를 걸친 괴이한 형체가 선명한 푸른 하늘을 배경으로 나타났다. 소년은 추격을 걱정하는 사람처럼 조심스럽고 은밀하게 주변을 살폈다. 그러더니 언덕을 넘어 사라졌다.

"맞죠, 제 말이 맞죠?"

"정말이군요. 뭔가 비밀스러운 심부름꾼이 있었네요."

"저게 무슨 심부름인지 지역 경찰대도 쉽게 알 수 있을 겁니다. 하지만 절대 저에게 듣지는 못할 겁니다. 그러니 왓슨 선생도 이 얘기를 하지 말아주세요. 절대 안 됩니다. 아셨죠?"

"물론입니다."

"경찰은 저에게 모욕을 줬어요, 모욕을! 제가 국가를 상대로 낸 소송의 결과가 나오면 제 분노가 이 지역 전체에 울려 퍼질 것이라고 분명하게 말할 수 있습니다. 어떤 경우에도 경찰을 돕지 않을 겁니다. 못된 마을 사람들이 제 인형을 말뚝에 박아 태울 때 경찰은 인형이 아니라 저를 신경 썼어야 했어요. 절대 경찰에게 얘기하지 마세요! 명예가 걸린 이 중요한 사건에서 제가 이길 수 있도록 도와주세요!"

하지만 나는 프랭클랜드의 간청과 저택까지 바래다주겠다는 그의 제안도 간곡하게 거부했다. 그러고는 노인이 바라보고 있을 때까지 저택으로 가는 척 길을 따라가다 재빨리 황야로 접어들어, 그 소년이 사라졌던 돌투성이 언덕을 향해 걸었다. 주변의 모든 상황이 나를 도와주고 있었다. 나는 체력이나 인내심 부족으로 내 앞으로 굴러온 행운의 기회를 놓쳐서는 안 된다고 다짐했다.

언덕 정상에 도착했을 때 태양은 이미 지고 있었다. 발밑으로 펼쳐진 기다란 경사면의 한쪽은 황금빛으로 물든 초록색이었고, 다른 한쪽은 회색 그림자가 덮여 있었다. 저 멀리 하늘에는 낮게 안개가 끼어 있었고 그 옆으로 특이한 모양의 벨리버와 빅슨 바위산이 튀어나와 있었다. 광활한 황야 어디에서도 아무 소리도 들리지 않고 움직임도 없었다. 갈매기나 마도요로 보이는 거대한 회색빛의 새 한 마리가 파란 하늘 위로 높이 솟아올랐다. 거대한 아치를 그리고 있는 하늘과 그 아래 버려진 이 땅 사이에서 그 남자와 나만이 유일하게 살아 있는 생명체인 것처럼 느껴졌다. 황야의 풍경이 만드는 쓸쓸함과 내가 맡은 기이한 사건과 이를 해결해야 한다는 절박감이 가슴속 깊이 한기를 느끼게 했다. 소년은 어디에도 없었다. 그러나 내 발밑으로 보이는 언덕 사이사이에는 오래된 돌 오두막이 원을 그리면 산재해 있었다. 그들 중에서 비바람을 막기에 충분한 지붕을 얹은 오두막이 딱 하나 있었다. 그 오두막을 보자 심장이 터질 듯이 뛰었다. 그 괴이한 남자가 숨어 지내는 은신처가 분명했다. 마침내 그자의 비밀을 밝혀내기 위한 첫걸음을 딛는 순간이었다.

나는 스테이플턴이 주변에 앉아 있는 나비를 잡기 위해 조심스럽게 포충망을 들고 움직이듯 살금살금 오두막으로 다가갔다. 분명히 누군가 그곳에 살고 있다는 흔적을 발견하자 무척 만족스러웠다. 바위들 사이로 난 작은 통로가 허름한 오두막의 문과 같은 역할을 했다. 주변에는 정적만이 흐르고 있었다. 그 미지의 남자는 그곳 어딘가에 숨어 있거나 아니면 황야에 나가 배회하고 있을 것이다. 어떤 일이 벌어질지 알 수 없어 팽팽한 긴장감이 느껴졌다. 나는 담배를 버리고 리볼버 권총의 손잡이에 손을 댄 채 빠르게 문 앞으로 다가갔다. 하지만 안에는 아무도 없었다.

그러나 내가 잘못 찾아온 것이 아니라는 많은 흔적이 존재했다. 이곳은 확실히 그 남자가 사는 곳이 분명했다. 비에 맞아도 젖지 않도록 싼 담요가 신석기 시대 사람이 잠자리로 사용했던 것으로 보이는 긴 돌 위에 놓여 있었다. 조잡하게 만든 화덕 주변에는 불을 피우고 난 재가 수북하게 쌓여 있었다. 그 옆에는 조리 기구들과 반쯤 물이 든 양동이가 있었다. 이 양동이야말로 이곳에 한동안 누군가가 살았다는 분명한 증거였다. 희미한 실내에 익숙해지자 한쪽 구석에 있는 작은 냄비와 반쯤 비워진 술병도 보였다. 오두막 한가운데에 있는 평편한 돌은 테이블로 사용되는 것 같았는데, 그 위에 옷이 든 작은 보따리가 있었다. 내가 망원경으로 본 소년이 어깨에 메고 있던 보따리가 분명했다. 그 안에는 빵 한 덩어리와 고기 통조림, 두 개의 복숭아 통조림이 있었다. 모든 것을 꺼내 다시 자세히 살펴보다 물건들 아래에 뭔가가 적힌 종이 한 장이 있는 것을 보고는 가슴이 다시 뛰었다. 종이를 집어 들었다. 연필로 거칠게 휘갈겨 쓴 글씨로 다음과 같이 적혀 있었다.

왓슨 선생이 쿰 트레이시에 갔음.

나는 그 종이를 손에 든 채 이 짧은 메시지가 의미하는 것이 무엇일까 한동안 생각했다. 이 정체불명의 남자가 미행했던 사람은 헨리 경이 아니라 나였던 것이다. 이 남자가 직접 나를 미행하지는 않았다. 그렇다면 그 소년이 이 남자를 대신해 나를 추격했고, 어쩌면 이것은 소년이 보낸 보고서일지도 모른다. 왜냐하면 아까 내가 황야에 들어온 이후로는 움직이지 않았기 때문에 특별히 관찰하거나 보고할 내용이 없었을 것이다. 항상 눈에 보이지는 않는 어떤 힘이 느껴졌다. 우리 주변을 감싸고 있는 헤어날 수 없는 미세한 그물이 우리를 가볍게 붙잡고 있는 듯했다. 그것이 드러나는 것은 오직 그물에 걸린 사람이 걸렸다는 사실을 깨닫는 바로 그 순간뿐이었다.

여기 이 보고서가 있는 걸 보면 다른 것도 있을 수 있다는 생각에 오두막 안을 둘러봤다. 하지만 또 다른 단서는 없었다. 이처럼 특이한 장소에 사는 남자의 성격이나 그자의 의도를 엿볼 수 있는 그 어떤 종류의 단서도 찾을 수 없었다. 그자는 매우 엄격한 생활 습관을 가진 사람이고, 사는 데 필요한 많은 것을 포기했다는 사실만 알 수 있었다. 지난번 엄청나게 쏟아진 비와 이곳의 뻥 뚫린 지붕을 생각하니 이런 불편한 장소에서의 생활도 견딜 만큼 그자의 목표가 강하고 간절하다는 것을 짐작할 수 있었다. 미지의 그 남자는 우리를 괴롭히는 적일까? 아니면 우리의 수호천사일까? 이것을 알아낼 때까지 떠나지 않겠다고 나는 다짐했다.

바깥에는 태양이 지면서 서쪽 하늘이 붉은색과 황금색으로 불타고 있었다. 저 멀리 거대한 그림펜 늪 한가운

데 있는 연못은 태양 빛을 받아 붉은 조각들을 반사하고 있었다. 멀리 바스커빌 저택의 두 개의 돌탑이 보였고, 그림펜 마을에서 올라오는 흐릿한 연기도 눈에 들어왔다. 언덕 너머의 두 가지 풍경 사이로 스테이플턴의 집도 보였다. 이 모든 풍경은 저무는 태양의 황금색 빛을 받아 감미롭고 부드러우면서 평화롭게 보였다. 하지만 그런 모습을 보면서도 내 마음은 자연의 아름다움을 느끼지 못했다. 명확하지 않은 상황과 모든 순간이 감시당하고 있다는 사실에서 느껴지는 공포심으로 떨리고 있었기 때문이다. 그러나 팽팽한 긴장감은 오히려 목적을 분명하게 만들었다. 나는 이 어두운 오두막에 앉아 침착하게 주인이 오기를 기다렸다.

드디어 그의 기척이 났다. 저 멀리서 돌을 밟고 올라오는 구두 소리가 분명하게 들렸다. 발자국 소리는 점점 더 가까워졌다. 나는 가장 어두운 구석으로 몸을 숨기고 주머니에 있는 권총을 장전했다. 내가 먼저 이 정체를 알 수 없는 사람을 보기 전에는 모습을 드러내지 않을 작정이었다. 그자가 멈춘 듯 아무 소리도 들리지 않았다. 잠시 후 다시 발자국 소리가 다가오더니 그림자 하나가 열린 오두막 문 앞에 나타났다.

"이보게, 왓슨. 정말 아름다운 밤이지 않은가." 아주 익숙한 목소리였다. "그 안에 있는 것보다 밖으로 나오는 것이 훨씬 편할 걸세."

12
황야에서의 죽음

너무 놀라 잠시 숨을 쉴 수가 없었다. 내 귀를 의심하지 않을 수 없었다. 다시 정신을 차리자 내 몸의 감각들이 되살아났다. 그 목소리는 그동안 내가 짊어지고 있던 무거운 책임감을 순식간에 날려버렸다. 이 분명하고 통찰력 넘치면서 풍자적인 목소리는 이 세상에서 단 한 사람만이 가지고 있는 것이다.

"홈즈! 홈즈!"

"밖으로 나오게." 홈즈가 다시 재촉했다. "나올 때 권총 조심하고."

나는 웅크리면서 오두막을 나왔다. 홈즈는 밖에 있는 돌 위에 앉아 있었다. 밖으로 나오자 깜짝 놀란 내 모습을 본 홈즈의 회색 눈이 즐거움으로 반짝였다. 홈즈는 마르고 초췌했지만 여전히 명석하고 빈틈없어 보였다. 홈즈의 열정적인 얼굴은 햇볕에 그을리고 바람에 거칠어져 있었다. 트위드 정장과 납작한 모자는 황야를 여행하러 온 사람 같았다. 홈즈는 고양이처럼 깨끗하게 차려입었는데, 청결함은 홈즈의 특징 중 하

나였다. 내 친구는 마치 베이커 스트리트에 있는 것처럼 깔끔하게 면도를 하고 깨끗한 셔츠를 입고 있었다.

"내 인생에서 자네를 만나 오늘처럼 기뻤던 적이 없었던 것 같군." 나는 양손으로 홈즈를 붙잡았다.

"아니면 오늘처럼 놀란 날이 없든가?"

"맞아, 그렇다네."

"자네만 놀란 게 아냐. 나도 놀랐어. 자네가 내 임시 거처를 찾아내리라곤 정말 생각하지 못했거든. 더구나 자네가 안에 있을 줄이야. 사실 문에 거의 다 와서야 자네가 안에 있다는 것을 알았어."

"내 발자국을 보고 알았지?"

"아니야, 왓슨. 이 세상에 있는 수많은 발자국 가운데서 어떻게 내가 항상 자네의 발자국을 알아볼 수 있겠나. 자네가 만약 나를 정말로 속이고 싶다면 담배부터 바꿔야 할 거야. 오는 길에 옥스퍼드 스트리트의 브래들리 상점 글씨가 찍힌 담배꽁초를 봤거든. 그래서 자네가 이 근처에 있다는 것을 알았지. 여기 올라와서 자네가 비어 있는 오두막으로 들어가기 직전에 담배꽁초를 길가에 버렸다는 것을 알 수 있었고."

"정확하군."

"역시 내 생각대로군. 그리고 자네의 끈기를 내가 잘 알기 때문에 아직도 잠복을 하고 있을 거라고 확신했어. 권총에 손을 댄 채 이곳 주인이 돌아오기를 기다리면서 말이야. 그래, 자네는 정말 내가 그자라고 생각했나?"

"나는 자네가 누군지 몰랐어. 하지만 곧 알아낼 작정이었지."

"잘했어, 왓슨! 그래 어떻게 알아낼 생각이었나? 자네는 이미 나를 봤을 거야. 그 탈옥수를 추격하던 날 말이야. 내가 경솔하게도 달을 배경으로 서 있었잖은가?"

"그래, 그때 자네를 봤지."

"그래서 이곳을 찾을 때까지 모든 오두막을 뒤졌던 건가?"

"아니야. 자네를 돕는 그 소년을 봤지. 소년이 어디로 가야 하는지 안내해주었어."

"분명 그 늙은 프랭클랜드의 망원경 덕분이겠군. 망원경 렌즈에서 반사되어 나오는 빛을 보기 전까지는 나도 몰랐어." 홈즈는 일어나 오두막 안을 들여다보았다. "아하, 카트라이트가 몇 가지 물품을 갖다 놓았군. 이 종이는 뭐지? 아, 자네 쿰 트레이시에 갔었군. 그렇지?"

"그래."

"로라 라이언스 부인을 만나기 위해?"

"그렇지."

"잘했어. 우리 둘의 조사가 확실히 같은 방향으로 가고 있군. 각자의 조사 결과를 조합하면 이 사건에 대한 전반적인 내용을 확실하게 알 수 있을 거야."

"난 자네가 여기 와서 정말 기쁘네. 사실 풀리지 않는 사건과 책임감 때문에 더 이상 긴장감을 감당하기 어려운 지경이었거든. 그런데 도대체 여기는 어떻게 온 거야? 뭘 하고 있던 건가? 너무 궁금하군. 나는 자네가 베이커 스트리트에서 그 협박 편지 사건을 해결하고 있다고 생각했는데."

"자네가 그렇게 생각해주기를 바랐지."

"그럼, 자네는 날 이용했군. 그리고 여전히 날 믿지 못하고 있군!" 나는 기분이 상해서 소리쳤다. "난 내가 자네를 충분히 도울 수 있는 자격이 된다고 생각했는데, 홈즈."

"이보게 왓슨. 다른 사건과 마찬가지로 이 사건에서도 자네의 역할은 따질 수 없을 정도로 중요하네. 내가 자네를 속인 것처럼 느꼈다면 부디 나를 용서해주게나. 사실 내가 이렇게 한 것은 자네를 위한 것이기도 해. 자네가 위험하다고 느꼈기 때문에 내가 여기 직접 내려와서 조사를 한 거야. 만약 내가 헨리 경, 자네와 함께 내려와 있었다면 나와 자네는 똑같은 시각을 가졌을 것이 확실해. 그리고 만약 내가 여기 있었다면 만만찮은 우리의 적은 아마 더욱 조심했을 것이고. 그나마 지금처럼 했기 때문에 저택에 있었다면 알아낼 수 없었을 많은 사실을 확인할 수 있었어. 그리고 이 사건에 내가 관여하지 않는 것처럼 하다 결정적인 순간에 도움을 줄 준비를 할 수 있었지."

"하지만 자네는 몰래 숨어서 날 지켜보지 않았나?"

"자네가 미리 알았다면 아무런 도움이 되지 못했을 거야. 어쩌면 내가 여기 있다는 것이 알려졌을지도 모르고. 자네는 뭔가를 얘기하고 싶어 여기 오거나 아니면 생활에 필요한 물품이나 물건을 가지고 왔을 거야. 그렇게 했다면 불필요한 위험도 생길 수 있었을 테고. 나는 카트라이트를 데리고 내려왔어. 기억나지? 심부름센터에서 만났던 그 소년 말이야. 내게 필요한 빵과 깨끗한 셔츠 칼라를 그 녀석이 가져다주었지. 그 이상 뭐가 필요하겠어? 그리고 그 녀석이 내 눈과 발이 되어 추가적인 일도 해주었어. 아주 유용했다네."

"그럼 내 보고서는 모두 쓰레기가 되었겠군!" 그것을 쓰기 위해 한 고생과 작성하면서 느꼈던 자부심을 떠올리자 내 목소리가 떨렸다.

홈즈가 주머니에서 한 뭉치의 종이를 꺼냈다.

"여기 자네 보고서가 있네, 왓슨. 손때가 묻도록 봤으니 걱정 말게. 내가 잘 조정을 해서 원래 받아야 하는 날짜에서 하루 정도 늦게 받았을 뿐이야. 이번처럼 매우 어려운 사건에서 보고서를 통해 자네가 보여준 열정과 명석함에 대해 정말 충분한 칭찬을 해주고 싶네."

나는 여전히 홈즈가 나를 속였다는 사실에 무척 화가 났지만, 그의 다정한 칭찬에 어느새 마음이 풀렸다. 또한 진심으로 홈즈가 그렇게 한 것이 옳았다는 것을 느낄 수 있었다. 홈즈가 황야에 있다는 사실을 내가 모르는 것이 우리의 목적을 달성하기 위한 최선의 방법이었다.

"좋아." 홈즈가 내 얼굴에 떠오른 표정 변화를 보면서 말을 이었다. "이제 로라 라이언스 부인을 방문했던 결과에 대해 얘기해주게. 자네가 그 마을에 간 것은 부인을 만나기 위해서라는 것을 어렵지 않게 짐작할 수 있지. 왜냐하면 나도 이미 쿰트레이시에 사는 부인이 이 사건과 관련해서 우리에게 도움을 줄 수 있을 거라고 생각했거든. 만약 자네가 오늘 그곳에 가지 않았다면 아마 내일 내가 갔을 거야."

해가 완전히 지고 땅거미가 황야 전체에 드리웠다. 공기가 차가워져 우리는 오두막 안으로 자리를 옮겼다. 해 질 녘에 오두막에 나란히 앉아 나는 라이언스 부인과 나눴던 얘기를 홈즈에게 전했다. 홈즈가 무척 흥미로워했기 때문에 그가 만족할 때까지 대화 내용 중 일부를 반복해서 얘기해야 했다.

"정말 중요한 얘기군." 내가 이야기를 끝내자 홈즈가 말을 꺼냈다. "이 복잡한 사건에서 내가 미처 추리할 수 없었던 부분을 채워주는 얘기야. 아마 자네도 라이언스 부인과 스테이플턴이 매우 친밀한 사이라는 것을 알고 있었지?"

"아니, 둘이 그런 사이라는 것은 몰랐는데."

"둘이 그런 사이라는 것은 의심할 여지가 없네. 그들은 자주 만났고 서로 편지를 주고받았어. 그 둘 사이에 분명히 특별한 관계가 있다는 얘기지. 이제 아주 확실한 무기가 우리 손에 들어온 셈이군. 만약 내가 이걸로 스테이플턴의 아내를 그에게서 떼어낼 수만 있다면…?"

"스테이플턴에게 아내라니?"

"자네가 나에게 많은 정보를 줬으니 나도 답례를 해야겠지. 여기서는 스테이플턴 양이라고 불리는 그 여동생은 사실 스테이플턴의 부인이라네."

"정말인가? 홈즈. 자네 지금 한 얘기 정말 확실한가? 그렇다면 어떻게 스테이플턴이 헨리 경이 자신의 아내와 사랑에 빠지도록 놔두었단 말인가?"

"헨리 경이 사랑에 빠진 것은 경을 빼고는 누구에게도 해가 되지 않아. 스테이플턴은 헨리 경의 사랑이 이루어지지 않도록 특별히 신경을 썼잖아. 자네가 직접 본 것처럼 말일세. 다시 말하지만 그녀는 여동생이 아니라 스테이플턴의 아내라네."

"하지만 왜 그렇게 한 거지?"

"자기 아내의 자유분방한 성격을 허용하면 그녀를 더욱 유용하게 이용할 수 있다는 것을 알았던 거야."

내 모든 본능적인 직감과 희미했던 의심들이 갑자기 분명해지면서 그 박물학자에게 초점이 맞춰졌다. 무표정하고 생기 없는 얼굴로 밀짚모자를 쓰고 포충망을 들고 다니던 그 남자가, 그 친절한 얼굴 뒤에 그렇게 잔인한 속마음을 숨기고 있었다니. 놀라울 정도의 은밀함과 기교를 갖춘 뭔가 끔찍한 생명체를 본 기분이었다.

"그럼 스테이플턴이 우리가 찾는 범인이란 말인가? 런던에서 우리를 미행했던 자가 스테이플턴이란 말인가?"

"내가 살펴본 바로는 그렇다네."

"그럼 그 경고 편지는 분명 스테이플턴의 아내가 보낸 것이겠군!"

"그렇지."

기이한 괴물 같은 놈, 반은 보이고 반은 보이지 않던 그놈, 어둠 속에서 오랫동안 나를 조롱하더니 이제야 몸을 드러낸 것이다.

"홈즈, 자네 정말 확실한가? 그녀가 스테이플턴의 아내라는 것을 어떻게 알았어?"

"그 박물학자가 자네를 처음 만났을 때 자신의 과거에 대해서 진실을 말했다는 것을 그자는 잊어버리고 있을 거야. 내 분명히 장담하건대 자신의 행동에 대해 여러 차례 후회했을 걸세. 스테이플턴은 한때 북부 지역에서 학교 선생으로 일했지. 학교 선생만큼 추적하기 쉬운 직업도 없을 거야. 누구든 한번 그 직업에 몸을 담았다면 학교 관리 기관을 통해 쉽게 확인할 수 있거든. 간단한 조사를 통해 그가 얘기한 것처럼 끔찍한 상황에서 파산한 학교를 찾았고, 그 학교의 소유자가 이름은 다르지만 아내와 함께 사라졌다는 사실을 확인했지. 스테이플턴이 했던 얘기와 일치하더군. 그 남자가 곤충학에 매우 조예가 깊었다는 얘기를 듣고 스테이플턴이라는 것을 확신했지."

어둠은 걷혔지만 여전히 많은 것들이 그림자 속에 감춰져 있었다.

"만약 그녀가 스테이플턴의 아내라면 로라 라이언스 부인은 어떻게 되는 거야?"

"그게 바로 자네가 조사를 통해 밝혀낸 부분이야. 자네가 부인과 나눈 얘기가 그 상황을 아주 분명하게 이해할 수 있게 해 주었어. 나는 라이언스 부인과 남편이 이혼을 하려고 한다는 사실을 몰랐거든. 스테이플턴이 미혼이라고 생각했기 때문에 부인이 그의 아내가 되려고 하는 걸세."

"그럼, 부인이 이 모든 사실을 알게 된다면?"

"그렇다면 그녀가 우리에게 협조하겠지. 부인을 만나는 게 우리 둘이 함께하는 첫 임무가 되겠군. 내일 함께 가세나. 그리고 왓슨, 자네 지금 아주 오랫동안 저택을 떠나 있었어. 바스커빌 저택이 자네가 있어야 할 곳이라는 사실을 잊지 말게."

마지막 남은 태양의 붉은 기운이 서쪽으로 완전히 넘어가고 밤이 황야 전체에 내려앉았다. 몇 개의 희미한 별들이 보랏빛 하늘에서 반짝이고 있었다.

"마지막 질문이 있네, 홈즈." 나는 자리에서 일어나면서 물었다. "자네하고 나 사이에 비밀은 필요 없다고 생각하는데, 이 모든 것이 의미하는 게 도대체 뭔가? 스테이플턴이 원하는 게 도대체 뭐야?"

대답하는 홈즈의 목소리가 낮게 가라앉았다.

"왓슨, 이건 살인이야. 세련되고 아주 정교하게 꾸며진 잔인한 살인일세. 구체적인 것은 묻지 말고. 범인의 그물이 헨리 경을 향해 쳐져 있다고 해도 이제 곧 내 그물이 서서히 그자를 옭아맬 걸세. 그리고 자네가 돕는다면 그자는 이미 우리 손에 들어온 것이나 마찬가지지. 다만 한 가지 우리를 위협할 수 있는 것이 있어. 우리가 그자를 칠 준비가 되기 전에 그자가 우리를 공격할 거야. 조만간 말이야. 나는 조사를 마무리할 테니 그때까지 자네의 역할을 잘해주게. 아픈 아이를 돌보는 자상한 어머니처럼 헨리 경 곁에 가까이 있게. 오늘 자네가 한 일이 중요하기는 했지만, 차라리 헨리 경 곁을 떠나지 않았으면 좋았을 걸 하는 생각이 들 정도야. 잠깐 들어봐!"

그때 황야의 정적을 깨고 끔찍한 비명 소리가, 공포와 괴로움으로 가득한 긴 외침이 울려 퍼졌다. 무시무시한 울음소리에 혈관 속의 핏줄이 얼어붙는 것 같았다.

"오, 이런!" 나도 모르게 말이 터져 나왔다. "이건 뭐지? 대체 뭐냔 말이야?"

홈즈가 자리에서 벌떡 일어났다. 어둠 속에서도 오두막 문 앞에 서 있는 홈즈의 형체가 긴장한 듯 보였다. 홈즈는 어깨와 머리를 앞으로 약간 숙인 채 어둠 속을 응시하고 있었다.

"쉿!" 홈즈가 다시 속삭였다. "쉿!"

외치는 소리의 격렬함 때문에 소리가 더 크게 울렸다. 소리는 저 멀리 어두운 황야 어딘가에서 울려 퍼지고 있었다. 이제 소리가 점차 가깝게 더 크게, 이전보다 더 다급하게 들려왔다.

"어디서 나는 소리지?" 홈즈가 속삭였다. 나는 그의 목소리에 담긴 긴장감을 통해 이 강철같은 사내의 마음이 이 소리에 흔들리고 있다는 것을 알 수 있었다. "어디서 나는 소리야, 왓슨?"

"아마도 저기." 나는 어둠 속을 손가락으로 가리켰다.

"저기가 아냐!"

다시 한 번 고통스러운 울음소리가 밤의 정적을 깨뜨렸다.

이전보다 소리는 더욱 크고 가깝게 들렸다. 게다가 새로운 소리도 추가되었다. 깊고 낮게 중얼거리는 음악 같은 소리가 마치 바다의 낮고 지속적인 속삭임처럼 높이 올라갔다 내려왔다.

"사냥개야!" 홈즈가 소리쳤다. "빨리, 왓슨. 빨리! 이런, 우리가 너무 늦지 말아야 할 텐데!"

홈즈는 재빨리 황야를 향해 달리기 시작했고 나도 홈즈의 뒤를 따랐다. 하지만 곧 우리 앞의 황야 어딘가에서 마지막으로 절박하게 외치는 소리가 들리더니 둔탁하고 무거운 '쿵' 소리가 났다. 우리는 그 자리에 멈춰서 귀를 기울였다. 하지만 더 이상 그 어떤 소리도 밤의 무거운 정적을 깨뜨리지 않았다.

홈즈가 정신 나간 사람처럼 이마에 손을 대고 있는 것이 보였다. 홈즈는 땅을 발로 찼다.

"놈이 한 방 먹였군. 왓슨, 우리가 너무 늦었어."

"아니, 아니야. 그럴 리가 없어!"

"바보처럼 손을 놓고 있다니. 왓슨, 보게. 자네의 책임을 다하지 않으면 어떤 일이 생기는지! 만약 최악의 일이 벌어졌다면 맹세코 그놈에게 반드시 복수하겠어!"

우리는 다급하게 어둠 속으로 달려갔다. 바위를 힘들게 넘고 가시금작화 덤불을 헤치고 숨을 헐떡이며 언덕을 올라 넘어지듯 비탈을 내려갔다. 그 무시무시한 소리가 들려온 방향을 향해 달리고 또 달렸다. 사방이 다 보이는 장소에 이르자 홈즈는 주변을 자세히 둘러봤다. 하지만 짙은 어둠만이 황야를 덮고 있을 뿐 황량한 벌판에서 움직이는 것은 아무것도 없었다.

"뭐가 좀 보여?"
"아무것도."
"어, 잠깐 들어봐. 이건 뭐지?"

낮은 신음 소리가 어디선가 들여왔다. 우리들의 왼편에서 다시 한 번 신음 소리가 났다. 그쪽에는 날카로운 절벽에 의해 끊긴 바위산의 능선이 있었다. 그 아래로는 여기저기 돌들이 흩어져 있는 경사면이 있었다. 그 위에 뭔지 알 수 없는 검은 물체가 팔다리를 벌린 채 쓰러져 있었다. 우리가 그쪽으로 달려가자 막연하게 보이던 형체가 점차 뚜렷한 모양으로 시야에 들어왔다. 한 남자가 얼굴을 땅으로 하고 엎드려 있었는데, 목이 발 쪽으로 심각하게 꺾인 채 마치 공중제비를 하는 사람처럼 어깨를 숙이고 몸을 웅크리고 있었다. 너무 기이한 형태라 나는 그 신음 소리가 그의 영혼이 빠져나가는 마지막 소리였다는 사실조차 잊고 있었다. 검은 형체에서는 더 이상 신음 소리도, 바스락거리는 소리도 나지 않았다. 홈즈가 놀라 남자에게 손을 대려고 하다가 움칫 놀라면서 다시 손을 거두어들였다. 홈즈가 켠 성냥불이 피해자의 엉켜 붙은 손가락과 뭉개진 머리에서 흘러나와 서서히 퍼진 끔찍한 핏자국을 비췄다. 그리고 성냥불에 드러난 남자의 몸을 보고 가슴이 덜컹하면서 아찔한 현기증을 느꼈다. 바로 헨리 바스커빌 경이었다! 남자가 입고 있는 빨간색의 특이한 트위드 정장을 우리는 분명히 기억할 수 있었다. 그것은 베이커 스트리트에서 우리가 헨리 경을 처음 만나던 날 아침에 그가 입고 있던 옷이었다. 우리는 다시 한 번 자세히 살펴보려 했지만 성냥불이 깜빡이더니 꺼져 버렸다. 마치 우리가 갖고 있던 일말의 희망이 사라지듯이. 홈즈는 길게 신음 소리를 내뱉었다. 어둠 속에서 홈즈의 얼굴이 희미하게 보였다.

"나쁜 자식! 이 짐승 같은 놈!" 나는 주먹을 움켜쥐며 분노에 몸을 떨었다. "홈즈, 헨리 경이 죽도록 혼자 남겨둔 나 자신을 절대 용서할 수 없을 거야!"

"자네보다 내가 더 욕을 먹어야지. 왓슨, 이 사건을 조용하게 해결하려고 하다가 내 의뢰인을 죽게 만들었어. 내 경력에서 최고로 수치스런 일이 벌어지고 말았어. 하지만 어떻게, 내가 어떻게 알 수 있었겠나? 내가 그렇게 경고했는데도 경이 혼자 황야에 나와 자신의 목숨을 위태롭게 할 줄을 내가 어떻게 알 수 있었겠어?"

"우리가 경의 비명 소리를 듣다니, 경의 비명 소리를! 오, 신이시여! 우리가 경을 구하지 못하다니! 헨리 경을 죽인 그 더러운 사냥개는 어디에 있는 거지? 지금 저 바

위틈 어딘가에 숨어 있을 거야. 그리고 스테이플턴, 그자는 어디 있지? 그자는 이 죽음에 반드시 대가를 치러야 할 거야."

"그럴 거야. 내가 반드시 그렇게 할 테니까. 삼촌과 조카가 모두 살해되었군. 한 사람은 자신이 초자연적인 존재라고 믿었던 짐승을 보고 놀라 죽었고, 또 한 명은 그 존재로부터 도망치다 절벽에서 떨어져 죽었어. 하지만 이제부터 스테이플턴과 그 짐승과의 관계를 증명해야 해. 우리가 들은 그 괴이한 소리는 제외하고 말이야. 헨리 경은 결국 추락사했기 때문에 우리는 그 짐승의 존재조차 증명할 수 없을 테니까. 그러나 맹세하건대, 이 교활한 녀석, 네놈은 조만간 내 손에 잡히고 말 것이다!"

우리는 쓰린 가슴을 안고 헨리 경의 끔찍한 시체를 바라봐야 했다. 갑작스럽고 돌이킬 수 없는 경의 죽음으로 오랜 시간에 걸쳐 공을 들인 수사가 결국 헛수고가 되었다는 사실에 허탈했다. 달이 떠오르자 우리는 헨리 경이 떨어진 바위산 꼭대기에 올라가 절반은 은색으로 나머지 반은 침울함에 덮인 황야를 내려다봤다. 저 멀리 몇 킬로미터 떨어진 그림펜 마을 쪽에서 노란 불빛 하나가 밝게 빛나고 있었다. 외따로 떨어져 있는 스테이플턴의 집에서 나오는 불빛이었다. 그곳을 바라보며 나는 욕설과 함께 주먹을 쥐고 흔들었다.

"지금 당장 저놈을 잡지 못하는 이유가 뭐야?"

"우리 조사가 아직 안 끝났어. 저놈은 극도로 신중하고 교활한 자야. 우리가 알 수 없을 정도로. 하지만 우리가 입증할 수 있어. 그러나 하나라도 실수를 하면 그땐 저놈이 도망치고 말

거야.”

“그럼 이제 어떻게 하지?”

“내일은 무척 할 일이 많을 거야. 오늘 밤은 우리의 불쌍한 친구 시신을 수습하는 수밖에 없겠어.”

우리는 경사가 가파른 비탈길을 내려와 헨리 경의 시신으로 다가갔다. 은색 돌들과 대비되어 시체는 검고 선명하게 보였다. 고통에 뒤틀린 시체를 보니 분노가 치밀어 오르면서 눈앞이 흐려졌다.

“홈즈, 도움을 요청해야겠어! 우리 둘이 경을 저택까지 데리고 갈 수는 없어. 이런, 자네 미쳤나?”

홈즈는 괴성을 지르더니 시체를 자세히 살펴봤다. 그러더니 신나게 웃으면서 춤을 추며 내 손을 잡아끌었다.

이 사람이 그 강인하던 홈즈 맞나? 자제심 강하던 내 친구에게 이런 약한 모습이 숨어 있었다니!

“턱수염, 턱수염이야! 이 친구 턱수염이 있어!”

“턱수염?”

“이 사람은 헨리 경이

아니야. 그래, 내 이웃. 바로 그 탈옥수로군!"

잠시의 망설임도 없이 우리는 시체를 뒤집었다. 차갑고 선명한 달빛 아래 피가 떨어지고 있는 턱수염이 분명하게 보였다. 튀어나온 이마, 깊이 가라앉은 짐승 같은 눈, 의심의 여지가 없었다. 정말로 이 남자는 지난번 바위 사이의 촛불에 드러난 그 얼굴이었다. 바로 탈옥수 셀던이었다.

그 순간 모든 것이 이해되었다. 헨리 경이 자신의 옛날 정장을 배리모어에게 줬다고 했던 얘기가 떠올랐다. 배리모어는 셀던의 도피를 돕기 위해 그 옷을 준 것이다. 그러고 보니 구두, 셔츠, 모자 모든 것이 헨리 경의 물건이었다. 사람이 죽은 것은 슬픈 일이지만 셀던은 그런 일을 당해도 싼 사람이었다. 나는 안도감과 기쁨에 넘치는 목소리로 홈즈에게 옷 얘기를 했다.

"그렇다면 저 불쌍한 탈옥수는 이 옷가지들 때문에 죽은 거군." 홈즈가 말했다. "그 사냥개는 헨리 경 물건의 냄새를 맡고 온 것이 분명해. 틀림없이 호텔에서 없어진 구두를 이용했을 거야. 그래서 이 남자를 추격한 거지. 그런데 한 가지 이상한 점이 있어. 이 어둠 속에서 셀던은 사냥개가 자기를 쫓고 있다는 것을 어떻게 알았을까?"

"사냥개 소리를 들은 거지."

"황야에서 사냥개 소리를 들었다고 해서 이 탈옥수처럼 대담한 자가 극심한 공포에 질려 잡힐 위험을 무릅쓰고 도와달라고 크게 소리를 지르지는 않았을 거야. 이자의 비명 소리를 생각해보면 이자는 이 짐승이 자신을 추격한다는 것을 알고 아주 오랫동안 달렸던 것이 분명해. 어떻게 알았을까?"

"우리의 짐작이 모두 맞다고 가정해도 더 큰 의문은 왜 이 사냥개는…?"

"난 짐작 같은 건 하지 않네."

"아무튼 이 사냥개는 왜 오늘 나타났을까? 내 생각에 이 개가 항상 황야 어딘가를 어슬렁거리고 있었던 것은 아냐. 헨리 경이 황야에 있다고 생각하지 않았다면 스테이플턴이 개를 풀어놓지 않았을 거라고."

"내 질문이 자네 것보다 더 어려운걸. 자네의 질문은 금방 해답을 얻을 테지만, 내 질문은 영원히 해결이 안 된 채 남을 수도 있어. 지금 문제는 이 불쌍한 놈의 시체를 어떻게 처리할까 하는 거네. 여우나 까마귀가 파먹을 텐데 여기에 그냥 둘 수는 없잖아."

"경찰에 연락할 수 있을 때까지 오두막에 옮겨놓는 것이 좋을 것 같아."

"좋아. 다른 방법이 없겠어. 거기까지는 옮길 수 있을 거야. 어이 왓슨, 이건 뭐지? 그자가 오고 있어. 놀라울 정도로 뻔뻔하군! 그자를 의심하는 말을 하면 안 되네. 절대 그런 말은 하지 말게. 아니면 내 모든 계획이 수포로 돌아갈 거야."

황야 저쪽에서 어떤 사람이 우리 쪽으로 걸어오고 있었다. 흐릿하게 빨간 담배 불빛이 보였다. 좀 더 가까이 오자 달빛에 박물학자 스테이플턴의 분명한 형체와 경쾌한 걸음을 알아볼 수 있었다. 그는 우리를 보더니 멈춰 섰다가 다시 우리 쪽으로 왔다.

“어, 왓슨 선생님이 아니신가요? 이런 늦은 밤에 황야에서 만나리라고는 전혀 생각하지 못했습니다. 하지만 앗, 저건 뭐죠? 누가 다쳤나요? 설마, 우리 친구 헨리 경은 아니겠죠!” 스테이플턴은 급하게 나를 지나쳐 달려가 시체를 살펴봤다. 나는 그가 놀라서 숨을 들이마시는 소리를 들었다. 스테이플턴은 손가락에 있던 담배를 떨어뜨렸다.

“누구죠? 저 사람은 누구죠?” 스테이플턴은 말을 더듬었다.

“셀던입니다. 프린스타운 감옥을 탈출한 그 죄수 말입니다.”

스테이플턴은 창백한 얼굴을 우리 쪽으로 돌렸다. 깜짝 놀란 표정과 실망을 감추려는 노력이 역력하게 보였다. 스테이플턴은 날카롭게 홈즈와 나를 바라봤다. “이런, 정말 놀라운 일이군요! 이자가 어떻게 죽은 거죠?”

“아마 저 위 바위산에서 떨어져 목이 부러진 것 같아요. 내 친구와 황야를 산책하다가 이자의 고함 소리를 들었어요.”

“저도 그 소리를 들었어요. 그래서 여기 온 겁니다. 저는 헨리 경이 아닌가 걱정했어요.”

“왜 딱히 헨리 경이라고 생각하셨어요?” 나는 질문을 하지 않을 수가 없었다.

“왜냐하면 헨리 경이 이 길로

지나갈 거라고 생각했거든요. 그분이 항상 그랬기 때문에 다른 길은 생각할 수 없었어요. 그래서 황야에서 나는 비명 소리를 듣고 자연스럽게 경의 안전을 걱정했죠. 그런데?" 스테이플턴의 가늘고 짧은 눈이 다시 나와 홈즈를 번갈아 쳐다봤다. "그런데 혹시 비명 소리 말고 다른 소리는 못 들으셨나요?"

"네." 홈즈가 대답했다. "당신은 들었나요?"

"아니오."

"그런데 왜 그런 걸 묻죠?"

"아, 이곳 사람들이 하는 유령 개니 뭐니 하는 얘기가 있잖아요. 밤에 황야에서 들려온다는 그 울음소리요. 혹시 오늘 밤에 그런 비슷한 소리가 있었나 궁금해서요."

"그런 소리는 전혀 듣지 못했어요." 내가 대답했다.

"그럼 이 불쌍한 탈옥수는 어떻게 죽은 거라고 생각하세요?"

"발각될지도 모른다는 불안과 공포가 이자를 죽음으로 몰고 간 것 같습니다. 제정신이 아닌 상태에서 황야를 달렸고, 결국 저 위에서 여기로 떨어져서 목이 부러져 죽은 거죠."

"가장 근거 있는 설명이군요." 스테이플턴이 말을 받았다. 한숨을 내쉬는 것을 보고 나는 그가 안도하고 있다는 것을 알았다. "셜록 홈즈 씨께서는 어떻게 생각하시나요?"

홈즈는 스테이플턴에게 가볍게 인사를 하며 대답했다. "저를 금방 알아보시는군요."

"찰스 경 사건 때문에 왓슨 선생이 내려오신 이후로 저희는 줄곧 홈즈 씨를 기다렸습니다. 아주 제때 오셨군요."

"정말 그렇군요. 저는 제 친구가 모든 사실을 정확히 설명했다고 생각합니다. 내일 아침 런던으로 돌아갈 건데 별로 달갑지 않은 기억을 얻은 셈이죠."

"아, 내일 돌아가신다고요?"

"네, 그럴 생각입니다."

"저는 홈즈 씨가 오셔서 우리를 괴롭히는 이 모든 문제를 말끔하게 해결해주실 거라고 생각했는데요."

홈즈가 어깨를 으쓱 추켜올려 보였다.

"사람이 항상 누군가의 기대를 다 만족시킬 수는 없죠. 그리고 사건 수사에는 전설이나 헛소문이 아니라 실질적인 단서가 필요합니다. 이 사건은 그런 기본 조건이 빠져 있습니다."

홈즈는 솔직하고 태연한 표정으로 대답했다. 스테이플턴은 계속 홈즈를 의심스럽게 쳐다보다 나를 보며 말했다.

"저 불쌍한 놈의 시체를 저희 집으로 옮기자고 말씀드리려고 했는데, 생각해보니 제 여동생이 기겁을 할 것 같아 그렇게는 못 할 것 같습니다. 뭔가로 덮어두면 내일 아침까지는 괜찮을 것 같네요."

우리는 그렇게 하기로 했다. 집으로 가자는 스테이플턴의 요청을 거절하고 혼자 집으로 돌아가게 남겨둔 채 홈즈와 나는 바스커빌 저택을 향해 걸었다. 뒤돌아보니 스테이플턴은 천천히 넓은 황야로 걸어가고 있었다. 그의 뒤로 달빛에 은색으로 빛나는 비탈길에 검은 표시가 하나 보였다. 조금 전 끔찍한 최후를 맞은 탈옥수의 시체가 있는 곳이었다.

13
그물을 드리우다

"드디어 결말에 가까워졌군." 황야를 가로질러 걸으며 홈즈가 입을 열었다. "저 녀석 진짜 배짱이 대단한데! 자신의 음모에 엉뚱한 사람이 걸려 죽었다는 것을 알았을 때 깜짝 놀라 얼굴에 드러날 법도 한데, 금방 자제력을 되찾더군. 런던에서 말했지만 지금 다시 한 번 얘기하네, 왓슨. 이놈처럼 뛰어난 상대는 이제껏 없었어."

"저자가 자네를 보게 해서 미안하네."

"처음에는 나도 그렇게 생각했어. 하지만 다른 방법이 없었잖아."

"자네가 여기 있는 줄 알았으니 이제 저자의 계획에 어떤 변화가 생기겠지?"

"아마 더욱 조심스러워지거나 조급해져서 즉시 뭔가를 시도하겠지. 다른 모든 영악한 범죄자처럼 저자 역시도 지나치게 자신의 영리함에 빠져 우리를 완전히 속였다고 생각할 거야."

"왜 지금 당장 저자를 체포하지 않는 거야?"

"이보게 왓슨, 자네는 천성적으로 행동이 너무 빨라. 뭔가 생각나면 바로 행동으로 옮기려고 하지. 하지만 논리적으로 생각해보게. 오늘 밤 그를 체포한다고 해서 우리가 얻을 수 있는 게 도대체 뭔가 있나? 저자에 대해서 증명할 수 있는 건 아무것도 없어. 저놈은 극도로 영악한 놈이야! 만약 우리가 이성적으로 행동하면 증거를 모을 수 있겠지만, 그 유령 개에 대해 밝혀내려고 한다면 그자를 잡아넣으려는 계획에 전혀 도움이 안 되네."

"이미 사건이 발생했잖아."

"분명한 게 없어. 짐작과 추측뿐이지. 만약 우리가 그 전설과 이런 증거만 가지고 법정에 간다면 재판에서 웃음거리가 될 거야."

"찰스 경이 죽었잖아."

"찰스 경이 살해되었다는 증거는 어디에도 없어. 자네와 나는 경이 너무 놀라 죽었고, 무엇이 경을 그렇게 놀라게 했는지 알지만 어떻게 무신경한 열두 명의 배심원이 그것을 믿도록 할 건가? 거기에 사냥개 발자국이 있었다고? 그럼 송곳니 자국은 어디에 있지? 물론 우리는 그 사냥개가 찰스 경을 물지 않았고, 사냥개에게 잡히기 전에 이미 죽었다는 사실을 알고 있어. 하지만 이 모든 것을 증명할 수 있어야 해. 우린 아직 그럴 수가 없잖아."

"그럼, 오늘 밤 일어난 일은?"

"오늘 밤 사건도 별로 다르지 않아. 다시 말하지만 그 남자의 죽음에 사냥개가 연관되었다는 직접적인 증거가 없어. 우린 개를 보지 못했잖아. 그냥 소리를 들었을 뿐이지. 그 사냥개가 남자를 쫓아갔다는 것을 증명할 수 없을 거야. 더구나 그럴 만한 아무런 이유도 없잖아. 왓슨, 진정하고 우리가 현재 아무런 증거도 가지고 있지 않다는 사실을 인정해야 해. 참아, 이 친구야. 하지만 분명하게 사실을 밝히기 위해서 위험을 무릅쓰고 시도해볼 만한 것이 있지."

"어떻게 할 생각인데?"

"우선 로라 라이언스 부인이 자신이 속았다는 사실을 분명하게 알았을 때 우리를 위해 뭔가를 해줄 거라는 기대를 걸고 있어. 그리고 나만의 계획도 있고. 내일 하루면 스테이플턴의 음모를 밝혀내기에 충분해. 내일이 가기 전에 마침내 우리가 유리한 위치에 서게 될 거야."

홈즈에게서 더 이상 얘기를 끌어낼 수는 없었다. 바스커빌 저택에 도착할 때까지 홈즈는 생각에 잠긴 채 걸었다.

"같이 들어갈 건가?"

"그래. 더 이상 숨어 있을 이유가 없어. 마지막으로 한 가지만 얘기하겠네. 헨리 경에게 사냥개에 대한 얘기는 아무것도 하지 말아주게. 셀던의 죽음으로 스테이플턴이 우리를 믿게 된 것 같아. 이 일로 그자는 내일 시도하려는 일에 더욱 자신감을 갖게 됐을 거야. 자네 보고서가 맞다면 내일 스테이플턴 남매와 저녁을 먹기로 했지?"

"맞아, 나도 참석하기로 했네."

"그럼, 자네는 적당히 핑계를 대고 헨리 경 혼자 가게 하게.

그렇게 되면 일이 훨씬 쉬울 거야. 그건 그렇고 지금이 너무 늦은 시각이기는 하지만 우리 둘 다 저녁을 먹을 수는 있겠지?"

헨리 경은 홈즈를 보자 놀라기보다 오히려 기뻐했다. 요 며칠 일어난 여러 가지 사건 때문에 홈즈가 빨리 런던에서 내려오기를 기다리고 있었던 것이다. 하지만 홈즈가 아무런 짐도 가지고 오지 않았고, 그 이유에 대해서도 설명하지 않자 눈썹을 추켜올리며 놀랐다. 헨리 경과 나는 홈즈에게 필요한 물품을 챙겨주고 늦은 저녁을 먹었다. 우리는 헨리 경에게 그날 겪은 많은 일들 중에서 경이 알아야 할 만한 내용들을 얘기해줬다. 그에 앞서 나는 배리모어와 그의 아내에게 불행한 소식을 전해야만 했다. 배리모어에게는 그 소식이 완전히 구원 같았지만 그의 아내는 슬프게 울며 앞치마로 눈물을 닦았다. 이 세상 모든 사람은 그자가 폭력의 화신으로 반은 짐승이고 반은 악마라고 욕했지만 부인에게는 어린 시절 자신의 손에 매달리던 고집 센 작은 소년으로 남아 있었던 것이다. 진짜 사악한 놈은 자신을 위해 울어줄 단 한 명의 여자도 남기지 못한 놈일 것이다.

"아침에 왓슨 선생이 나간 이후로 하루 종일 집에서 의기소침해 있었어요." 헨리 경이 말을 꺼냈다. "제가 칭찬받을 일을 했어요. 약속을 지켰거든요. 혼자 나가지 않겠다는 약속을 하지 않았다면 오늘 저녁은 아마 훨씬 더 재미있었을 겁니다. 스테이플턴이 집으로 오라고 연락을 해왔거든요."

"정말 재밌는 저녁을 보내셨을 거라고 확신합니다." 홈즈가 살짝 비아냥거리듯 대답했다. "좀 더 말씀드리면, 경의 부러진 목을 보고 저희가 슬퍼했다고 해서 경이 저희에게 감사할 거라고는 생각하지 않습니다."

헨리 경이 눈을 크게 뜨며 소리쳤다. "그게 무슨 말입니까?"

"그 불쌍한 탈옥수는 경의 옷을 입고 있었습니다. 그 옷들을 건네준 집사가 경찰에 끌려가 조사를 받을 일이 걱정입니다."

"그런 일은 없을 겁니다. 제가 아는 한 그 옷에는 아무런 표식도 없습니다."

"배리모어에게는 정말 다행이군요. 사실 우리 모두에게 잘된 일입니다. 이 문제에 관해서는 저희 모두가 불리한 입장에 있거든요. 양심적인 탐정으로서 제가 해야 할 첫 번째 일은 이 집에 있는 모든 사람들을 체포해야 하는 것이 아닌가 모르겠네요. 왓슨의 보고서야말로 가장 확실한 범죄의 증거거든요."

"그런데 사건은 어떻게 되고 있는 거죠?" 헨리 경이 끼어들었다. "이 복잡한 사건에서 뭔가 새롭게 알아낸 게 있나요? 왓슨 씨와 제가 여기 내려와서 이전보다 더 알아낸 게 없는 것 같아요."

"제 생각엔 오래지 않아 경에게 사건을 아주 분명하게 설명할 수 있을 것 같습니다. 이번 건은 대단히 어렵고 매우 복잡한 사건이어서 아직 몇 가지 더 밝혀야 할 부분들이 있습니다. 하지만 곧 알아낼 겁니다."

"아마 왓슨 선생이 홈즈 씨에게 얘기했을 텐데요, 저희는 황야에서 사냥개 울음소리를 분명히 들었습니다. 그래서 저는 이것이 완전한 미신은 아니라고 확신합니다. 저는 외국에 나가 있을 때 개들과 여러 가지 일들을 함께 했어요. 그래서 그 소리가 개의 울음소리라는 것을 압니다. 만약 홈즈 씨가 그 개에게 재갈을 물리고 목줄을 채운다면 저는 홈즈 씨가 역사상 가장 위대한 탐정이라고 선언할 겁니다."

"저는 틀림없이 그 개에게 재갈을 물리고 목줄을 채울 겁니다. 경께서 도와주시기만 한다면요."

"무슨 얘기든 말씀만 하시면 바로 하겠습니다."

"좋습니다. 그리고 또 한 가지, 무조건 하셔야 합니다. 어떤 이유도 묻지 마시고요."

"그렇게 하겠습니다."

"만약 경께서 그 일을 하시면 제 생각에 우리의 문제가 곧 해결될 것입니다. 의심할 여지가 없습니다."

홈즈는 갑자기 말을 끊더니 내 머리 뒤의 허공을 뚫어지게 쳐다봤다. 등잔 불빛이 홈즈의 얼굴을 비췄는데, 홈즈는 계속 그렇게 있었다. 그 모습이 경계와 기대를 잔뜩 하고 있는 윤곽이 뚜렷한 고대 조각상 같았다.

"뭔가요?" 우리 둘이 동시에 소리쳤다.

홈즈가 눈을 다시 돌렸을 때 홈즈가 내부의 감정을 애써 억누르고 있다는 것을 알 수 있었다. 그의 얼굴은 무척 차분해 보였지만 눈빛은 승리의 기쁨으로 빛나고 있었다.

"미술 전문가의 작품 감상을 이해해주십시오." 반대편 벽에 나란히 걸려 있는 초상화들을 손으로 가리키며 홈즈가 말을 이었다. "왓슨은 제가 미술에 조예가 있다는 것을 인정하지 않지만 그건 질투 때문이죠. 작품에 대한 견해가 다르거든요. 지금 보니 이 작품들은 정말 뛰어난 초상화들이군요."

"그렇게 말씀해 주시니 고맙습니다." 헨리 경이 약간 놀란 눈으로 홈즈를 보며 말을 받았다. "전 사실 미술 작품에 대해서는 잘 모릅니다. 그보다는 말이나 소에 대해 더 잘 알죠. 미술 작품에 관심이 많으신지 미처 몰랐습니다."

"자세히 보면 어떤 것이 좋은 작품이지 알 수 있죠. 지금 좋은 작품을 보고 있습니다. 저것은 넬러(Kneller, 독일 태생의 영국 궁정의 초상화가—옮긴이)의 작품이군요. 저쪽에 파란 비단 옷을 입고 있는 여성 말입니다. 그리고 가발을 쓰고 살이 좀 찐 저 신사분은 레이놀즈(Reynolds, 영국의 초상화가—옮긴이)의 작품이 분명합니다. 제 생각엔 가족 초상화 같은데요?"

"네, 전부 다요."

"저분들의 성함을 아시나요?"

"배리모어가 알려주었죠. 모두 기억하고 있습니다."

"망원경을 보고 있는 저 신사분은 누구시죠?"

"저분은 서인도 제도에서 로드니 제독 밑에서 근무하셨던 바스커빌 해군 소장이십니다. 파란 외투을 입고 종이를 들고 계신 분은 윌리엄 바스커빌 경입니다. 피트 수상 시절에 하원 위원회의 의장을 지내셨습니다."

"제 맞은편에 호탕해 보이는 분은 누구시죠? 레이스가 달린 블랙 벨벳을 입고 계신 분이오."

"오, 아주 정확하게 짚으셨네요. 이 모든 불행의 원인인 사악한 휴고입니다. 저희 가문에 드리운 사냥개의 전설이 저분에게서 시작되었죠. 저희는 저분을 잊을 수가 없을 겁니다."

나는 호기심과 놀라움이 뒤섞인 눈으로 초상화를 바라봤다.

"아, 그렇군요." 홈즈가 감탄한 듯 말을 이었다. "보기에는 조용하고 꽤 온순한 분 같은데요. 하지만 저분의 눈에 사악함이 숨겨져 있군요. 그림보다 훨씬 더 험악하고 무지막지하게 생겼을 거라고 생각했거든요."

"분명 그분이 맞습니다. 이름과 1647년이라는 날짜가 그림 뒤에 써 있습니다."

홈즈는 뭐라고 좀 더 얘기했다. 휴고의 초상화는 홈즈를 사로잡는 매력이 있는 것 같았다. 홈즈는 저녁 식사 내내 그 그림을 쳐다봤다. 나는 헨리 경이 방으로 들어간 후에야 비로소 홈즈의 의도를 알 수 있었다. 홈즈는 나를 다시 식당으로 데리고 가더니 방에 있던 촛불을 들고 나와서 벽에 걸린 오래된 초상화에 바싹 대며 물었다.

"뭐가 보이나?"

나는 깃털 장신을 한 커다란 모자, 보기 좋게 흘러내린 곱슬머리, 하얀 레이스, 길고 엄하게 생긴 여러 초상화 사이에 놓인 한 얼굴을 바라봤다. 잔인하게 생긴 얼굴은 아니었다. 하지만 얇은 입술은 사납고 무정해 보였으며, 가늘고 차갑게 생긴 눈이 매서운 얼굴이었다.

"자네가 아는 누군가하고 닮지 않았나?"

"턱이 헨리 경하고 비슷한 것 같군."

"아마도 그렇겠지. 그러나 잠시만 기다려 보게!" 홈즈는 의자 위에 올라가 촛불을 왼손에 들고 오른손으로 곡선을 그려서 커다란 모자와 긴 곱슬머리를 가렸다.

"이런, 세상에!" 나는 너무 놀라 소리를 질렀다.

스테이플턴의 얼굴이 초상화 속에서 선명하게 드러났다.

"이제야 봤군. 내 눈은 사람들의 얼굴을 정확하게 볼 수 있도록 훈련되어 있지. 얼굴을 둘러싸고 있는 장식품들은 빼고 말이야. 범죄 수사관들에게 가장 첫 번째로 요구되는 것은 변장을 하더라도 그것을 꿰뚫어 볼 수 있는 능력일세.”

“하지만 정말 믿을 수 없군. 이건 거의 스테이플턴의 초상화야.”

“맞아. 육체적, 정신적 양쪽 측면 모두에서 격세유전(생물의 성질이나 체질 등의 열성형질이 일 대 혹은 여러 대를 지나서 나타나는 현상—옮긴이)의 매우 흥미로운 사례지. 이 집안사람들의 초상화를 살펴보면 휴고가 다시 환생한 셈이야. 그 녀석은 바스커빌 집안사람이야. 분명해.”

“유산상속을 노리고 음모를 꾸민 거군.”

“그렇지. 이 초상화가 우리가 놓친 가장 분명한 정보를 제공해주었어. 잡았어, 왓슨. 이제 잡았다고. 감히 장담하건대 내일 저녁이 되기 전에 그 교활한 자는 우리의 수사망에 걸려 퍼덕이게 될 거야. 마치 자신의 포충망에 잡혀 꼼짝 못하는 나비처럼. 핀, 코르크 마개, 카드를 준비하고 그자를 잡아 우리의 베이커 스트리트 수집품에 추가하자고!” 홈즈는 초상화에서 멀어지면서 보기 드물게 쾌활한 웃음을 터뜨렸다. 나는 그런 웃음소리를 가끔 들을 수 있었는데, 그것은 항상 누군가에게는 좋지 않은 전조였다.

다음 날 아침 일찍 일어나 보니, 홈즈는 나보다 먼저 일어나 돌아다니고 있었다. 옷을 입고 나왔을 때 홈즈는 밖에 나갔다 들어오는 중이었다.

“일어났나? 오늘은 아주 긴 하루가 될 걸세.” 홈즈는 즐거운 표정으로 손바닥을 비비며 말했다. “그물은 모두 제자리에 설치돼 있어. 이제 곧 그물질을 시작할 거야. 오늘이 가기 전에 얼굴이 갸름한 커다란 물고기를 잡았는지, 아니면 그놈이 그물을 뚫고 도망쳤는지 알 수 있겠지."

"벌써 황야에 갔다 온 건가?"

"그림펜에 가서 셀던이 죽었다고 프린트타운에 전보를 보냈어. 우리 중 누구도 그 문제로 곤란을 겪지 않을 거야. 그리고 나의 충실한 카트라이트와도 연락을 했지. 내가 안전하다는 것을 알리지 않는다면 개가 주인의 무덤을 지키듯 내가 머물던 오두막 앞에서 초조하게 기다릴 게 분명하거든."

"이제 다음 순서는 뭔가?"

"헨리 경을 만나는 거지. 아, 저기 오는군!"

"안녕히 주무셨습니까?" 헨리 경이 아침 인사를 건넸다. "홈즈 씨는 마치 보좌관과 함께 전투를 준비하는 장군처럼 보입니다."

"아주 정확하게 보셨습니다. 왓슨이 지금 저의 지시를 기다리고 있는 중이거든요."

"저도 그렇습니다."

"좋습니다. 준비가 되셨군요. 제가 알기로는 오늘 밤에 스테이플턴과 저녁 식사 약속이 있으시죠?"

"홈즈 씨도 동행했으면 합니다. 스테이플턴 남매는 무척 친절한 사람들입니다. 분명히 홈즈 씨를 보면 아주 기뻐할 겁니다."

"유감스럽지만 저와 왓슨은 런던으로 돌아가야 합니다."

"런던이라구요?"

"네, 지금 시점에서는 그게 훨씬 더 유용할 것 같습니다."

헨리 경의 얼굴이 눈에 띌 정도로 어두워졌다.

"이 사건이 해결될 때까지 두 분이 저를 도와주시는 걸로 알고 있었는데요. 이 저택이나 황야 모두 저 혼자 있기에는 그리 즐거운 곳이 아닙니다."

"친애하는 헨리 경, 저를 절대적으로 믿고 제가 말씀드린 대로 정확히 하셔야 합니다. 스테이플턴에게 가서 얘기하세요. 저하고 왓슨이 함께 왔다면 더욱 즐거웠을 텐데, 급한 일이 생겨 런던으로 돌아갔고, 최대한 빨리 이곳으로 돌아오겠다고 했다고 하세요. 이 얘기를 꼭 그들에게 전달하셔야 합니다!"

"정 원하신다면."

"다른 대안은 없습니다. 분명합니다."

나는 헨리 경의 얼굴에 드리운 그늘을 보았다. 우리가 떠난다는 소리에 이 젊은 남자가 깊이 상심했다는 것을 알 수 있었다.

"언제 떠날 예정입니까?" 헨리 경이 무뚝뚝하게 물었다.

"아침 식사를 하고 바로 쿰 트레이시로 떠날 겁니다. 하지만 왓슨이 다시 돌아올 거라는 뜻에서 왓슨의 물건은 그대로 남겨두고 가겠습니다. 왓슨, 스테이플턴에게 자네가 그곳에 가지 못해서 매우 유감이라고 전갈을 보내게."

"저도 두 분과 함께 런던으로 가고 싶습니다." 헨리 경이 끼어들었다. "왜 제가 여기 혼자 남아야 합니까?"

"그것이 헨리 경이 해야 할 일입니다. 제가 하라는 대로 하겠다고 약속하셨잖아요. 저는 경이 여기 남아 있기를 바랍니다."

"좋습니다. 그렇다면 여기 남아 있죠."

"한 가지 더 있습니다. 머리핏 하우스까지 마차를 타고 가세요. 그리고 도착하면 마차를 돌려보내시고, 그들에게 저택으로 돌아갈 때는 걸어갈 예정이라고 얘기하세요."

"황야를 걸어서 가라고요?"

"네."

"하지만 그건 홈즈 씨가 여러 차례 하지 말라고 경고하셨던 일이잖아요."

"이번에는 안전하게 할 수 있을 겁니다. 저는 경의 배짱과 용기를 믿습니다. 그렇지 않았다면 이런 제안을 하지 않았을 겁니다. 경이 그렇게 하는 것이 매우 중요합니다."

"그럼, 그렇게 하겠습니다."

"단, 절대로 다른 길로는 황야를 건너면 안 됩니다. 반드시 머리핏 하우스에서 그림펜으로 가는 직선 길을 따라 건너십시오. 늘 다니시던 그 길로 말입니다."

"말씀하신 그대로 하겠습니다."

"좋습니다. 저희는 아침을 먹자마자 최대한 빨리 출발하겠습니다. 그러면 아마 점심때쯤 런던에 도착할 것입니다."

나는 홈즈가 어젯밤 스테이플턴에게 내일 떠날 것이라고 얘기한 사실을 기억하고 있었지만 그래도 홈즈의 얘기를 듣고 무척 놀랐다. 나도 함께 떠나야 한다고 홈즈가 생각하는 줄 몰랐고, 홈즈 스스로 매우 결정적인 순간이라고 얘기하면서 왜 우리 둘 다 떠나야 하는지 이해할 수가 없었다. 그러나 절대적으로 홈즈의 말을 따를 뿐 다른 이유는 있을 수 없었다. 그래서 우리는 애처로워 보이는 헨리 경에게 작별 인사를 하고 저택을 떠나, 몇 시간 후 쿰 트레이시에 있는 기차역에 도착했다. 승강장에는 한 소년이 우리가 저택으로 돌아갈 수 있도록 마차를 대기한 채 기다리고 있었다.

"다른 지시는 없으십니까, 선생님?"

"저 기차를 타고 런던으로 돌아가게, 카트라이트. 런던에 도착하자마자 바로 헨리 바스커빌 경에게 내 이름으로 이렇게 전보를 치게. 만약 내가 두고 온 수첩을 찾으면 그것을 등기우편으로 베이커 스트리트로 보내달라고."

"네, 알겠습니다."

"그리고 역무원에게 가서 나에게 온 메시지가 있는지 물어보게."

카트라이트가 전보를 가지고 돌아왔다. 홈즈가 나에게 전보를 보여주었다. 거기에는 '전보를 받았음. 서명하지 않은 영장을 가지고 내려가겠음. 5시 40분 도착. 레스트레이드'라고 적혀 있었다.

"오늘 아침에 내가 보낸 전보에 대한 답신이야. 레스트레이드는 뛰어난 형사고, 내 생각엔 그의 도움이 필요할 것 같아. 왓슨, 지금이야말로 자네의 친구 로라 라이언스 부인을 방문하기에 최적의 시간인 것 같군."

드디어 홈즈의 치밀한 계획이 시작되었다. 헨리 경을 이용해 스테이플턴이 우리가 떠났다고 믿도록 해놓고, 우리가 정말로 필요한 순간에 바로 나타날 수 있도록 돌아가는 것이었다. 홈즈 이름으로 런던에서 온 전보에 대해 헨리 경이 스테이플턴에게 얘기한다면, 스테이플턴은 혹시나 하던 마지막 의심까지 던져버릴 것이다. 나는 벌써 턱이 홀쭉한 물고기를 잡기 위해 우리의 그물이 좁혀지는 것을 보는 것만 같았다.

로라 라이언스 부인은 사무실에 있었다. 홈즈는 부인과 솔직하고 직설적인 대화를 시작했다.

"저는 지금 찰스 바스커빌 경의 사망과 관련한 상황을 조사 중입니다." 홈즈가 얘기를 꺼냈다. "제 친구인 여기 왓슨 의사 선생이 부인과 나눈 이야기를 해줬습니다. 또한 부인이 그 사건과 관련해서 무언가를 숨기고 있다는 얘기도 들었습니다."

"제가 뭘 숨기고 있다니요?" 부인이 도전적으로 물었다.

"부인은 스스로 찰스 경에게 밤 10시에 황야로 나가는 문에서 만나자고 했다는 사실을 인정했습니다. 그것은 정확히 찰스 경이 죽은 시각과 장소입니다. 부인은 분명 그 둘 사이의 연관성에 대해 뭔가 숨기고 있는 것이 있습니다."

"그 둘 사이에는 아무런 연관성이 없습니다."

"이번 사건에서 그 둘이 정확히 일치한다는 사실은 매우 주목할 만한 일입니다. 우리는 결국 둘 사이의 연관성을 찾는 데 성공할 겁니다. 그러나 저는 완전히 솔직하게 얘기하고 싶습니다. 라이언스 부인, 우리는 이 사건을 살인으로 보고 있습니다. 그리고 증거들이 의미하는 것을 보면 이것은 단지 당신의

친구인 스테이플턴뿐만 아니라 그의 아내도 연관이 있는 것으로 파악되고 있습니다."

라이언스 부인은 의자에서 벌떡 일어났다.

"그의 아내라고요?" 부인이 소리쳤다.

"이 사실은 더 이상 비밀이 아닙니다. 여동생으로 알려진 그 여자가 사실은 스테이플턴의 아내입니다."

라이언스 부인은 다시 의자에 앉았다. 손으로 의자 손잡이를 잡았는데, 어찌나 세게 쥐었는지 핑크색 손톱이 하얗게 변했다.

"그의 아내라니!" 부인이 다시 소리쳤다. "아내라니! 그는 결혼하지 않았다고 했어요."

홈즈가 어깨를 으쓱해보였다.

"증거를 대보세요, 증거를! 당신이 그것을 증명할 수 있다면!"

분노로 빨갛게 충혈된 부인의 눈이 다른 무엇보다도 많은 얘기를 하고 있었다.

"그걸 증명하기 위해 제가 여기 온 것입니다." 홈즈가 주머니에서 여러 장의 종이를 꺼내 펼쳤다. "이것은 몇 년 전 두 사람이 요크에서 찍은 사진입니다. 여기 밴들러 부부라고 서명이 되어 있죠. 그러나 보시면 이 남자가 누구인지 그리고 이 여자를 보셨다면 누구인지 쉽게 알 수 있을 겁니다. 여기 당시 세인트 올리버 사립학교를 운영했던 밴들러 부부와 알고 지냈던 사람들로부터 온 세 건의 증언이 있습니다. 모두 믿을 수 있는 사람들입니다. 이 사람들의 증언이 의심스러우면 자세히 살펴보시고 읽어보세요."

라이언스 부인은 그것들을 힐끔 보더니 우리를 올려다봤다. 절망한 여인의 얼굴은 차갑게 굳어 있었다.

"홈즈 씨." 부인이 입을 열었다. "이 남자는 제가 남편과 이혼한다면 저와 결혼하겠다고 약속했어요. 거짓말을 한 거군요. 나쁜 놈, 모든 게 다 거짓이었어요. 단 한 마디도 사실인 게 없어요. 그런데 어째서? 대체 왜죠? 저는 단지 이 모든 것이 다 저를 위한 것이라고 생각했어요. 그런데 이제 보니 저는 아무것도 아니었군요. 단지 그에게 이용당하는 도구였어요. 저와 한 약속을 하나도 지키지 않은 사람과의 약속을 제가 지킬 이유가 없죠. 그가 저지른 끔찍한 일로부터 더 이상 그를 보호해야 할 이유가 없어요. 궁금한 것을 물어보세요. 더 이상 감출 일이 아무것도 없습니다. 단, 한 가지 맹세할 수 있는 것은 제가 찰스 경에게 편지를 보냈을 때 그분에게 그런 끔찍한 일이 생기리라고는 꿈에도 생각하지 못했어요. 그분은 정말 친절한 제 친구였어요."

"저도 전적으로 부인을 믿습니다." 홈즈가 대답했다. "이 사건을 다시 언급하는 것은 부인에게 매우 고통스러운 일일 겁니다. 제가 어떤 일이 있었는지 얘기를 할 테니 부인이 보실 때 제가 잘못 알고 있는 부분이 있으면 대답을 하시는 것이 더 쉬울 것 같습니다. 부인이 보내신 그 편지는 스테이플턴이 쓰라고 한 것이죠?"

"그가 불러줬어요."

"부인이 이혼하는 데 필요한 비용을 찰스 경이 대줄 거라고 하면서 편지를 쓰게 했죠?"

"네, 맞습니다."

"그런데 편지를 보내고 나서는 부인에게 그 약속을 지키지 말라고 종용했죠?"

"그가 말하기를 다른 남자가 제가 이혼하는 데 드는 비용을 지불한다면 자기 자존심이 무척 상할 것 같다고 했어요. 자신은 가난하지만 우리 사이에 놓인 장애물을 제거하기 위해 전 재산을 바치겠다고 했죠."

"스테이플턴은 무척 일관성 있는 사람으로 보였겠군요. 이

후 신문에서 찰스 경의 죽음에 관한 기사를 볼 때까지 아무 얘기도 못 들으셨죠?"

"네."

"그리고 그가 부인에게 찰스 경하고의 약속에 대해서는 아무에게도 얘기하지 말라고 다짐을 했죠?"

"네, 그랬습니다. 그는 찰스 경의 죽음이 매우 괴이하기 때문에 제가 그런 얘기를 하면 분명히 의심을 받을 거라고 말했어요. 조용히 있으라고 잔뜩 겁을 줬어요."

"분명히 그랬겠죠. 하지만 부인은 스테이플턴을 의심했죠?"

여인은 잠시 머뭇거리더니 고개를 숙였다.

"그 사람일 거라고 생각했어요." 부인이 털어놨다. "하지만 만약 그가 저하고의 약속을 지켰다면 전 끝까지 그 비밀을 지켰을 거예요."

"제 생각에는 전체적으로 부인이 운이 좋았네요." 홈즈가 설명했다. "부인이 그의 비밀을 알고 있다는 것을 스테이플턴 또한 알고 있었어요. 하지만 운 좋게 아직 살아 있는 겁니다. 부인은 지금까지 몇 달 동안 위험한 절벽의 가장자리에 매우 가까이 있었어요. 정말 다행입니다, 라이언스 부인. 아마 얼마 안 있어 저희에게서 다시 소식을 듣게 될 것입니다."

"사건은 점차 마무리가 되어가고, 우리 앞에 있던 장애물들도 거의 사라지고 있군." 런던에서 오는 급행열차가 도착하기를 기다리며 홈즈가 말했다. "조만간 요즘 시대에 가장 보기 드물고 충격적인 이 사건에 대해 제대로 된 설명을 할 수 있게 될 거야. 범죄학을 공부하는 사람들은 1866년 리틀 러시아의 그로드노에서 발생한 이와 유사한 사건과 미국 노스캐롤라이나에서 있었던 앤더슨 살인 사건을 기억할 걸세. 하지만 이번 사건은 그것들과는 구분되는 전적으로 독특한, 이 사건만의 특징을 가지고 있어. 심지어 지금도 우리는 이 교활한 자에 대해서 분명히 알지 못하고 있는 부분이 있거든. 하지만 오늘 밤이 가기 전에 그 모든 것이 분명히 드러날 거야."

런던에서 온 급행열차가 요란한 소리를 내며 역에 도착했다. 잠시 후 작은 불도그처럼 생긴 남자가 일등석 칸에서 뛰어내렸다. 우리 세 사람은 악수를 나눴다. 나는 레스트레이드 경위가 매우 공손한 태도로 홈즈를 대한다는 것을 알 수 있었다. 경위의 추상적인 이론이 홈즈에게 언제나 무시당하곤 했던 것을 나는 잘 기억하고 있었다. 하지만 경위는 홈즈와 함께 일을 한 이후 홈즈에게서 많은 것을 배웠다.

"무슨 좋은 일이라도 있으십니까?" 레스트레이드 경위가 물었다.

"올해 들어 가장 큰 사건이죠." 홈즈가 대답했다. "출발하기까지 두 시간쯤 여유가 있군요. 천천히 저녁이나 먹을까요. 식사 후 다트무어의 신선한 밤공기를 마시면서 레스트레이드 씨의 목에 걸려 있는 런던의 안개를 씻어내 보죠. 여긴 처음이시죠? 음, 아마 이 첫 방문을 결코 잊지 못할 겁니다."

14
바스커빌가의 사냥개

홈즈의 결점 중 하나는 전체 계획이 현실화되기 전까지는 어느 누구에게도 말을 하지 않는다는 것이다. 물론 이것을 정말 결점이라고 할 수 있다면 말이다. 이것은 부분적으로 주변 사람들을 주도하고 놀라게 하는 것을 좋아하는 홈즈의 개인적인 성격에서 비롯되었다. 나머지는 그 어떤 기회도 놓치지 않으려고 자신을 단속하는 직업적 조심성에서 유래했다. 하지만 그 결과 홈즈의 조수나 조력자로 활동하는 사람들은 힘이 많이 들었다. 나는 자주 그런 고통을 겪었지만 그날 긴 마차 여행을 하는 동안만큼 힘들었던 적은 없었다. 우리 앞에는 커다란 난관이 놓여 있었고, 마침내 우리는 마지막 계획을 시도하려던 참이었다. 그러나 홈즈는 아직 아무 말도 없었고, 나는 그저 그의 계획이 어떤 것이라고 추측만 할 뿐이었다. 차가운 바람이 얼굴을 스치고 어둡고 음산한 빈 공간이 좁은 마찻길 양쪽으로 보이자 다시 한 번 황야로 돌아왔다는 생각에 신경이 바짝 곤두섰다. 말들이 한 발자국을 내디딜 때마다, 마차 바퀴가

한 바퀴 돌 때마다 우리는 점점 사건의 정점을 향해 가까이 다가가고 있었다. 긴장이 고조되고 앞으로 일어날 일에 대해 걱정이 심해져도 임시로 고용한 마차의 마부 때문에 우리는 하찮은 잡담만을 나눠야 했다. 그런 부자연스러운 시간이 지나고 마침내 프랭클랜드의 집을 지나 바스커빌 저택에 가까워졌다는 것을 알고 슬슬 행동을 시작하자 오히려 긴장감이 풀렸다. 우리는 현관문까지 가지 않고 대로변의 문 앞에서 내렸다. 마차 비용을 지불하고 마부에게 즉시 쿰 트레이시로 돌아가도록 지시한 후 우리는 머리핏 하우스를 향해 걸음을 옮겼다.

"무장했나요, 레스트레이드 씨?"

키 작은 형사는 웃으며 대답했다. "제가 이 바지를 입었다는 건 뒤쪽 호주머니가 있다는 얘기고, 이 호주머니가 있는 한 그 안에 뭔가가 있다는 얘기죠."

"좋습니다. 나와 내 친구 또한 비상 상황에 대비한 준비를 했습니다."

"홈즈 씨, 이 사건에 상당히 집착하시는 것 같은데요, 이게 다 무슨 일이죠?"

"조금만 기다리면 알게 됩니다."

"이런, 여기는 기다리기에 그다지 유쾌한 곳은 아닌 것 같군요." 경위는 몸을 떨면서 주변을 둘러봤다. 언덕의 어두운 경사면과 거대한 그림펜 늪 위에는 안개가 호수처럼 펼쳐져 있었다. "우리 앞쪽에 있는 집에서 나오는 불빛이 보이는군요."

"저것이 우리 여행의 종착점인 머리핏 하우스입니다. 지금부터 발끝으로 살금살금 접근하고 절대 크게 얘기해서는 안 됩니다."

우리는 매우 조심스럽게 길을 따라 걸었다, 마치 집으로 곧장 가는 것처럼. 그러나 집 근처 200미터쯤 접근했을 때 홈즈가 우리에게 멈추라고 했다.

"여기가 잘 보이겠군." 홈즈가 말했다. "오른쪽에 있는 저 바위들 때문에 들킬 염려는 없겠어."

"여기서 그냥 기다리는 건가요?"

"네, 여기서 잠복하는 겁니다. 조용히 숨어 있는 거죠, 레스트레이드 씨. 왓슨, 집 안에 들어가 봤지? 실내 구조가 어떤지 설명할 수 있겠어? 저쪽 끝에 격자무늬로 된 창문은 뭔가?"

"부엌 창문인 것 같군."

"그럼 그 뒤에 아주 밝게 빛나는 저쪽은?"

"저곳이 식당이야."

"창문 블라인드가 올려져 있군. 접근하기 아주 좋은 위치야. 조용히 기어가서 그들이 뭘 하고 있는지 볼 수 있겠나? 절대 그들이 알 수 없도록 조용히 접근해야 하네!"

나는 발끝으로 조용히 걸어 잡목들로 둘러싸인 낮은 벽 뒤에 몸을 웅크렸다. 이어 벽이 만든 그림자 속을 기어 커튼이 쳐져 있지 않은 창문 사이로 안을 들여다볼 수 있는 위치에 자리를 잡았다.

실내에는 헨리 경과 스테이플턴 두 명뿐이었다. 둥근 테이블을 사이에 두고 양쪽에 앉아 있었는데, 내 쪽에서 그들의 옆

모습을 볼 수 있었다. 둘 다 담배를 피우고 있었고 앞에는 커피와 와인이 놓여 있었다. 스테이플턴은 쾌활하게 얘기를 하고 있었지만 창백한 얼굴의 헨리 경은 건성으로 듣고 있었다. 아마도 음침한 황야를 혼자 걸어서 지나가야 한다는 생각 때문에 마음이 무거운 것 같았다.

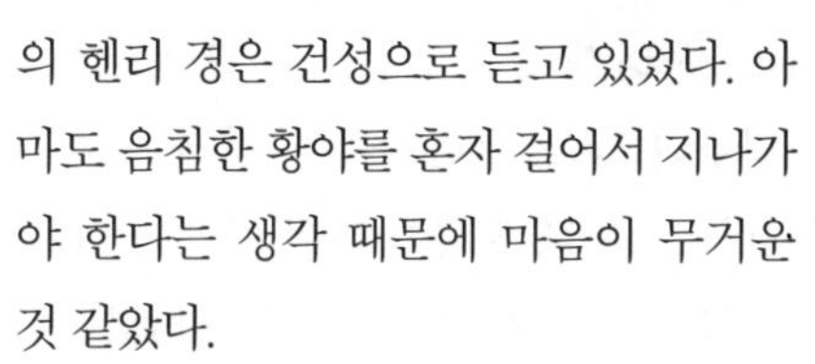

잠시 후 스테이플턴이 일어나 방을 나갔고, 헨리 경은 와인 잔을 채워 의자에 몸을 기대면서 담배 연기를 길게 내뱉었다. 현관문이 '삐이익' 하고 열리더니 자갈을 밟는 구두 소리가 들렸다. 그 소리는 내가 웅크리고 있는 벽 반대편 쪽으로 가고 있었다. 그쪽으로 눈을 돌리자 스테이플턴이 과수원 한쪽에 있는 헛간문 앞에 멈춰 서 있었다. 그는 열쇠로 문을 열고 안으로 들어갔고, 뭔가 부스럭거리는 소리가 났다. 잠시 안에 있다 나온 스테이플턴은 문을 잠그고 내가 숨어 있는 곳을 지나 집으로 들어갔다. 헨리 경과 스테이플턴이 다시 얘기를 나누는 모습을 볼 수 있었다. 나는 조용히 기어서 홈즈와 레스트레이드 경위가 있는 곳으로 돌아왔다.

"왓슨, 그럼 그 여자는 안에 없다는 얘기네?" 내가 본 것을 모두 설명하고 나자 홈즈가 물었다.

"맞아."

"그럼, 그녀는 어디에 있는 거지? 부엌을 빼고는 불이 켜진 다른 방이 없잖아?"

"그 여자가 어디 있는지 나도 모르겠네."

거대한 그림펜 늪 위에서 하얀 안개가 짙게 퍼지기 시작했다. 안개는 서서히 움직여 우리가 있는 방향으로 밀려오더니 마치 벽처럼 쌓이기 시작했다. 낮고 두껍게 깔린 안개는 눈으로도 뚜렷이 볼 수 있었다. 그 위로 달빛이 비춰 안개는 마치 거대한 얼음 들판처럼 보였는데, 그 위로 멀리 있는 바위산 꼭대기가 솟아올라 있었다. 홈즈가 그쪽으로 얼굴을 돌리더니 서서히 밀려오는 안개를 바라보며 초조한 듯 낮게 중얼거렸다.

"안개가 우리 쪽으로 밀려오고 있어, 왓슨."

"무슨 문제라도 있어?"

"아주 심각한 문제지. 안개야말로 지금 여기서 내 계획을 망칠 수도 있는 유일한 장애물이라네. 헨리 경이 곧 나올 거야. 이제 10시가 다 되었거든. 우리 작전의 성공과 심지어 헨리 경의 목숨까지도 안개가 길을 다 덮어버리기 전에 경이 저 집에서 나오느냐 마느냐에 달려 있다네."

머리 위의 밤하늘은 깨끗하고 맑았다. 별은 차갑고 밝게 빛나고 있었고, 반달이 이 모든 광경을 희미한 빛으로 부드럽게 비추고 있었다. 우리 앞의 어둠 속에는 육중한 형체를 한 스테이플턴의 집이 놓여 있었다. 톱니 모양의 지붕과 불쑥 솟아오른 굴뚝이 은빛으로 반짝이는 하늘을 배경으로 뚜렷한 윤곽을 만들어내고 있었다. 창문을 통해 나온 넓은 막대 같은 황금색 불빛이 과수원과 황야를 향해 퍼져나갔다. 불빛 중 하나가 갑자기 꺼졌다. 하인이 부엌을 떠난 것이다. 이제 식당에만 등불이 켜져 있었고, 그곳에는 살인범인 집주인과 그것을 전혀 알지 못하는 손님이 여전히 담배를 피우며 얘기를 나누고 있었다.

시간이 지날수록 황야의 절반을 뒤덮은 양모 같은 안개가 집 쪽으로 점점 더 밀려왔다. 이미 먼저 퍼지기 시작한 엷은 안개 한 자락이 노란 불빛이 새어 나오는 창문을 가리기 시작했다. 과수원 쪽의 벽은 벌써 보이지 않았고, 나무들만이 소용돌이치는 안개 속에서도 두드러져 보였다. 우리가 지켜보는 동안 서서히 밀려온 안개는 집의 양 측면을 모두 가리더니 천천히 하나로 합쳐지면서 둑처럼 주택의 윗부분과 지붕까지 가렸다. 이제 집은 안개 가득한 바다에 떠 있는 이상한 배처럼 보였다. 홈즈는 화가 난 듯 우리 앞에 있는 바위를 치고 초조하게 발로 땅을 굴렀다.

"만약 헨리 경이 15분 이내로 저 집에서 나오지 않으면 돌아가는 길이 모두 안개에 덮일 거야. 30분 후면 우리 손도 보이지 않을 정도로 안개가 짙어지겠어."

"뒤쪽, 좀 더 높은 곳으로 자리를 옮길까?"

"그래, 그렇게 하는 게 좋겠어."

짙은 안개가 앞으로 계속 몰려가고 있었기 때문에 우리는 뒤로 물러나 집으로부터 약 1킬로미터 정도 떨어졌지만, 여전히 짙은 안개의 바다였다. 저 하늘 높은 곳에서 은빛으로 빛나는 달만이 이 모든 광경을 무표정하게 천천히 비추고 있었다.

"여기가 좋겠어." 홈즈가 입을 열었다. "경이 우리 쪽에 닿기도 전에 범인에게 추월당하면 손쓸 겨를이 없을 수도 있어. 무슨 일이 있어도 이 자리를 지켜야 해." 홈즈는 무릎을 꿇더니 귀를 땅에 댔다. "다행이야. 경이 오는 소리가 들리는군."

빠르게 걷는 발자국 소리가 황야의 침묵을 깨뜨리고 있었다. 우리는 바위틈에 웅크리고 앉아 눈앞의 안개가 거의 걷힌 길을 뚫어지게 바라봤다. 발자국 소리가 점차 커지더니 마치 커튼을 지나듯 안개를 뚫고 헨리 경이 나타났다. 경은 안개가 걷히고 별이 반짝이는 곳으로 나오자 놀란 듯 주위를 둘러봤다. 그리고 빠르게 길을 따라 걸어 우리가 숨어 있는 곳을 지나쳐 우리 뒤쪽의 긴 경사면을 오르기 시작했다. 경은 걸으면서도 쫓기는 사람처럼 계속 주위를 둘러봤다.

“쉿!” 홈즈가 낮게 주의를 줬다. 그 순간 나는 권총을 장전하는 날카로운 ‘찰깍’ 소리를 들었다. “저기 봐! 누가 오고 있어!”

작지만 부스럭거리며 걷는 ‘타다닥’ 소리가 짙은 안개 속 어딘가에서 지속적으로 들려왔다. 안개는 우리가 숨어 있는 곳에서 50미터쯤 떨어져 있었다. 우리 세 사람은 저 안개 속에서 어떤 끔찍한 것이 튀어나올지 확실히 알 수 없는 상태에서 그쪽을 바라봤다. 나는 홈즈 바로 옆에 있어서 순간적으로 그의 얼굴을 볼 수 있었다. 희미했지만 눈앞으로 다가온 승리에 들뜬 홈즈의 눈은 달빛을 받아 반짝였다. 그런데 갑자기 홈즈와 레스트레이드 경위가 앞으로 움직였다. 경직된 그들의 눈은 고정된 채 앞을 보고 있었고, 입술은 놀라움으로 벌어져 있었다. 그와 동시에 놀란 레스트레이드 경위가 외마디 비명을 지르며 황급히 얼굴을 밑으로 숙였다. 나도 일어섰다. 무의식중에 권총을 손에 쥐었지만, 짙은 안개 속에서 우리 앞으로 튀어나온 생명체의 무시무시한 모습에 놀라 온몸이 마비될 지경이었다. 그것은 바로 사냥개였다. 거대한 크기의 칠흑처럼 까만 사냥개로, 이전에는 한 번도 본 적이 없는 그런 개였다. 벌어진 입에서는 불을 뿜고, 이글거리는 눈은 불타고 있었으며, 주둥이와 목둘레, 목 밑으로 처진 살 주변으로 불꽃이 펄럭이고 있었다. 정신적으로 허약한 사람의 혼탁한 꿈속이 아니라면, 방금 안개 속에서 우리 앞으로 튀어나온 개보다 더 야만적이고

오싹해 보이는 지옥의 괴물 같은 사냥개를 상상할 수는 없을 것이다.

거대한 검은 괴물은 헨리 경의 발자국을 따라 성큼성큼 뛰며 곧장 뒤를 쫓아갔다. 유령 같은 개의 출현에 너무 놀란 우리가 미처 정신을 차리기도 전에 사냥개가 우리 앞을 그냥 지나쳤다. 하지만 곧 홈즈와 내가 동시에 총을 쏘았고, 사냥개의 끔찍한 울음소리가 들린 것으로 보아 우리 둘 중 한 사람이 맞힌 것 같았다. 그러나 사냥개는 멈추지 않고 앞으로 계속 달려갔다. 멀리 떨어진 곳에서 뒤를 돌아보는 헨리 경이 보였다. 경의 얼굴은 달빛을 받아 창백했고, 너무 놀라 손을 든 채 자신을 뒤쫓아오는 괴생명체를 무기력하게 바라보고 있었다. 그러나 고통스러운 신음 소리가 사냥개로부터 나오는 것을 보고 우리는 모든 걱정을 바람에 날려버릴 수 있었다. 상처를 입었다는 것은 이 괴물도 인간 세계에 속한 생명체라는 얘기고, 상처를 입힐 수 있다면 죽일 수도 있는 것이었다. 그날 밤의 홈즈처럼 빨리 달리는 사람을 나는 여태 본 적이 없었다. 나도 매우 빨리 달렸는데, 내가 키 작은 경위를 앞서 달리는 것만큼이나 홈즈는 나를 앞서서 달렸다. 우리가 거의 날듯이 달려가 보니, 앞쪽에서 헨리 경의 비명 소리와 사냥개의 낮은 으르렁거리는 소리가 연달아 들렸다. 나는 괴생명체가 먹잇감을 덮쳐 땅에 넘어뜨리고 목을 물려고 하는 모습을 볼 수 있었다. 그러나 다음 순간 홈즈가 다섯 발의 총알을 연달아 사냥개의 옆구리에 쏘았다. 사냥개는 고통스런 마지막 울부짖음을 끝

으로 꽈당 넘어져 굴렀다. 그러더니 발로 격렬하게 땅을 긁다 마침내 그대로 주저앉았다. 나는 숨을 헐떡이며 웅크린 채 희미하게 보이는 사냥개의 이마를 총으로 밀어보았다. 더 이상 총을 쏠 필요가 없었다. 거대한 사냥개는 이미 죽어 있었다.

헨리 경은 자신이 넘어진 줄도 모르고 누워 있었다. 우리는 경의 목을 보기 위해 칼라를 벗겼다. 홈즈가 안도의 한숨을 내쉬었다. 헨리 경은 아무런 상처도 입지 않았다. 우리가 적절한 시간에 구한 것이었다. 헨리 경은 눈썹을 부들부들 떨면서 겨우 몸을 추스를 수 있었다. 레스트레이드 경위가 브랜디가 든 술병을 헨리 경의 입에 물렸다. 그러자 젊은 준남작은 겁에 질린 눈으로 우리를 올려다봤다.

"맙소사!" 경이 중얼거렸다. "그게 뭐였죠? 도대체 그게 뭐죠?"

"죽었습니다. 뭔지 몰라도 말이죠." 홈즈가 대답했다. "처음이자 마지막으로 바스커빌 가문의 유령을 잡았습니다."

크기나 그 강력한 힘으로 봤을 때 우리 앞에 죽어 있는 것은 정말 끔찍한 생명체였다. 순수한 블러드하운드나 마스티프 종은 아니었다. 그 둘을 합쳐놓은 것처럼 보였다. 으스스하고 잔인한 게 거의 작은 암사자 크기였다. 심지어 이미 죽었는데도 거대한 턱에서는 파란 불꽃이 떨어지는 것 같았고, 작고 깊이 박힌 잔인한 눈은 둥그런 불꽃을 그리고 있었다. 나는 손을 뻗어 빛나는 주둥이를 만져보았다. 그런 다음 손가락을 들어 올리자 어둠 속에서 불이 타듯 반짝였다.

"인燐이군." 내가 중얼거렸다.

"아주 치밀하게 준비했군." 홈즈가 킁킁거리며 사냥개의 냄새를 맡으면서 말을 받았다. "인은 냄새가 없기 때문에 이놈의 후각을 방해하지 않았을 거야. 헨리 경, 이런 위험에 처하게 한 것을 깊이 사과드립니다. 사냥개라고 예측은 했지만 이런 괴물일 줄은 몰랐습니다. 그리고 안개 때문에 잡을 시간이 부족했습니다."

"홈즈 씨가 제 생명을 구했어요."

"많이 놀라셨을 텐데, 일어나실 수 있겠어요?"

"브랜디 한 모금만 더 마시면 무엇이든 할 수 있을 것 같습니다. 그리고 이제 일어나도록 좀 도와주세요. 이제 어떻게 하면 되죠?"

"우선 여기 남아 계세요. 오늘 밤 더 이상의 모험은 무리입니다. 여기서 기다리면 우리 중 누군가가 돌아와 모시고 저택으로 가겠습니다."

헨리 경은 비틀거리는 몸을 가누려고 했지만 얼굴은 아직도 유령처럼 창백하고 팔다리는 떨리고 있었다. 우리는 경을 바위로 데리고 가 앉혔다. 두 손으로 얼굴을 감싼 채 헨리 경은 부들부들 떨고 있었다.

"저희는 이제 가봐야 합니다." 홈즈가 말을 꺼냈다. "남은 일을 마무리해야 합니다. 지금 이 순간이 매우 중요합니다. 이제 사건을 해결했으니 남은 건 범인을 잡는 일뿐입니다."

"그 집에 놈이 있을 확률은 거의 없어." 머리핏 하우스로 재빠르게 돌아가면서 홈즈가 계속 얘기했다. "아까 그 총소리를 듣고 그자도 게임이 끝났다는 것을 알았을 테니까."

"우리가 멀리 떨어져 있었고, 이 안개가 아마 총소리를 좀 작게 했을 거야."

"스테이플턴이 사냥개를 데려가려고 분명히 따라왔을 거야. 아니, 아니야. 이번에는 도망갔겠군! 집을 뒤져서 확실히 확인하자고."

현관문은 열려 있었다. 우리는 안으로 뛰어들어 가 여러 방을 빠르게 살펴보았다. 복도에서 만난 늙은 하인은 놀란 얼굴로 부들부들 떨었다. 식당을 제외하고는 불빛이 없었다. 홈즈가 등잔을 가지고 와 집 안을 샅샅이 뒤졌다. 하지만 스테이플턴의 흔적은 어디에도 없었다. 위층에 잠긴 방이 하나 있었다.

"여기 누군가가 있어요." 레스트레이드 경위가 소리쳤다. "그 안에 누가 있는지 안다. 문을 열어라!"

안에서 희미한 신음 소리와 부스럭거리는 소리가 들렸다. 홈즈가 잠긴 문을 발로 세게 차자 문이 떨어져 나갔다. 홈즈는 손에 권총을 들고 있었다. 우리 셋은 안으로 뛰어들어 갔다. 그러나 우리가 기대했던 절망적이고 도발적인 악당 스테이플턴의 흔적은 없었다. 대신 우리는 전혀 예상하지 못한 이상한 물건들을 보고 놀라서 한동안 그 자리에 서 있었다. 방은 마치 작은 박물관 같았다. 나비와 나방 표본들로 가득한 유리 진열장이 벽 쪽에 나란히 놓여 있었다. 이 모든 것은 교활하고 위험한 스테이플턴의 기분 전환용 장식이었다. 방 한가운데에는 천장까지 닿는 긴 기둥이 똑바로 세워져 있었다. 벌레가 먹고 오래된 지붕의 나무를 받치기 위해 오래전에 설치한 것처럼 보였다. 거기에 누군가 묶여 있었다. 단단하게 묶기 위해 천으로 두껍게 말아놓아서 모양만 봐서는 남자인지 여자인지조차 알 수가 없었다. 수건 하나가 목을 감고 뒤로 돌아서 기둥에 단단히 감겨 있었다. 다른 수건은 얼굴 아랫부분을 덮고 있었고, 그 위에는 슬픔과 수치심 그리고 의문을 담고 있는 두 눈이 우리를 쳐다보고 있었다. 우리는 빠르게 재갈을 풀고 묶인 천을 풀었다. 그러자 스테이플턴 부인이 바닥으로 쓰러졌다. 그녀의 아름다운 얼굴이 가슴 쪽으로 숙여지자 목에 나 있는 둥그런 빨간 채찍 자국이 선명하게 보였다.

"잔인한 놈!" 홈즈가 분노에 떨었다. "레스트레이드, 여기 브랜디 술병 좀 줘요! 그리고 의자에 앉혀요! 폭행당하고 지쳐서 정신이 혼미해요."

그녀가 다시 눈을 떴다.

"그는 괜찮나요?" 그녀가 물었다. "그는 안전한가요?"

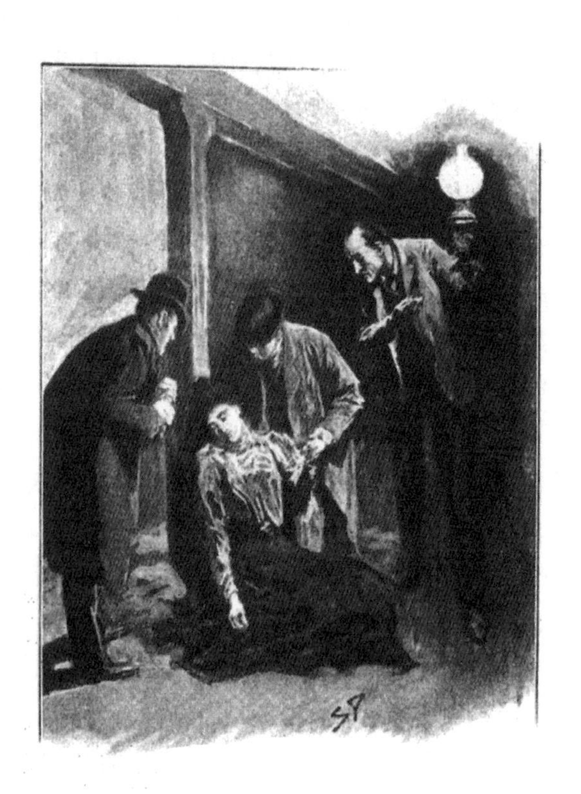

"그는 우리에게서 도망칠 수 없습니다, 부인"

"아니, 아니오. 제 남편 말고 헨리 경이오. 그분은 괜찮나요?"

"네."

"그럼 사냥개는요?"

"죽었습니다."

그녀는 안도의 한숨을 길게 내쉬었다.

"감사합니다. 신이시여, 감사합니다! 이 나쁜 놈이 저를 어떻게 했는지 보세요!" 그녀는 소매에서 팔을 빼 보여주었다. 팔에는 온통 얼룩덜룩한 멍이 끔찍하게 나 있었다. "하지만 이건 아무것도 아니에요, 아무것도! 그자는 내 마음과 영혼을 고문하고 모욕했어요. 전 그자가 저를 사랑한다는 믿음이 있었기 때문에 학대, 외로움, 거짓된 삶 모두를 견딜 수 있었어요. 하지만 이제는 제가 그자의 앞잡이였고, 도구였다는 사실을 알았어요." 부인은 말하면서 격렬한 울음을 터트렸다.

"더 이상 그에게 미련이 없으시겠군요, 부인." 홈즈가 말했다. "그렇다면 이제 그자가 어디에 있는지 얘기해주세요. 한 번이라도 그자의 범죄 행위를 도운 적이 있다면 지금 저희를 도와 속죄를 하세요."

"그자가 도망칠 곳은 오직 한 군데뿐이에요." 그녀가 대답했다. "늪 한가운데 예전에 주석 광산이었던 바위산이 있어요. 그곳이 남편이 사냥개를 숨기고 모든 것을 준비했던 곳이에요. 아마 그곳으로 도망쳤을 거예요. 그곳이야말로 그자가 숨을 수 있는 유일한 곳이죠."

짙은 안개가 하얀 양모처럼 창문을 가리고 있었다. 홈즈가 그쪽으로 등불을 가져갔다.

"보세요. 오늘 밤에는 그 누구도 그림펜 늪으로 들어가는 길을 찾을 수 없을 거요."

갑자기 그녀가 박수를 치면서 크게 웃었다. 그녀의 눈과 이가 격렬한 웃음 속에서 번뜩거렸다.

"아마 들어가는 길을 찾았다 해도 나오지는 못할 거예요." 그녀가 소리쳤다. "오늘 같은 밤에 길을 표시한 막대를 어떻게 볼 수 있겠어요. 우리는 함께 그것을 세웠어요. 그자와 제가 함께 늪을 통과하는 길을 표시해놨죠. 하지만 만약 오늘 그 막대들을 뽑아버린다면 그자는 정말로 당신들의 독 안에 든 쥐 신세죠!"

안개가 걷힐 때까지 스테이플턴을 추적할 수 없다는 사실이 분명해졌다. 레스트레이드 경위에게 그 집을 감시하도록 당부하고 홈즈와 나는 헨리 경을 데리고 저택으로 돌아갔다. 스테이플턴 부부의 이야기를 더 이상 헨리 경에게 숨길 수가 없었다. 자신이 사랑했던 여자에 대한 진실을 알게 되었을 때 헨리 경은 과감하게 그것을 털어버렸다. 그러나 그날 밤의 모험에서 받은 충격으로 아침이 되기 전에 고열로 의식이 혼미해져 모티머 씨의 간호를 받아야 했다. 두 사람은 헨리 경이 다시 예전처럼 건강하고 활기찬 사람으로 돌아갈 수 있도록 이후 함께 세계를 여행했다. 그러고 나서 헨리 경은 그 저주받은 땅의 주인이 되었다.

이제 이 특이한 이야기의 결론을 빠르게 얘기하겠다. 이 사건은 오랫동안 우리 삶에 그늘을 드리웠고, 매우 비극적으로 끝이 났다. 나는 독자들이 그 불길한 공포와 불명확한 추측을 함께 느껴볼 수 있도록 애썼다. 사냥개가 죽은 다음 날 아침 안개는 모두 걷혔고, 우리는 스테이플턴 부인의 안내를 받아 그들이 발견한 늪을 통과하는 길을 찾았다. 그녀가 길을 가르쳐주면서 진심으로 기뻐하는 모습을 보고 그동안 그녀가 얼마나 끔찍하게 살아왔는지 느낄 수 있었다. 우리는 넓게 퍼진 늪 한쪽의 좁고 단단한 땅 위에서 그녀를 기다리게 했다. 거기서부터 작은 표식들이 여기저기 세워져 있어 들어가는 길을 알려주었다. 수풀 사이로 지그재그로 난 그 길은 낯선 자의 침입을 방해하는 녹색 찌꺼기 같은 늪 속으로 들어가는 통로였다. 줄지어 늘어선 갈대와 진흙투성이의 무성한 수초들이 부패하고 고약한 냄새가 나는 증기를 우리의 얼굴 쪽으로 뿜어내고 있었다. 우리는 발을 헛디뎌 여러 차례 음습하고 살아 있는 듯한 늪에 빠지기도 했다. 늪에서 나온 잔물결이 발 주변에서 부드럽게 흔들

렸다. 우리가 걸을 때마다 끈끈한 바닥이 발뒤꿈치를 잡아당겼고, 늪에 빠졌을 때는 마치 어떤 불길한 손이 우리를 더러운 내부로 끌어내리는 것만 같았다. 우리를 잡아당길 때는 음습함과 고의적인 의도마저 느껴졌다. 우리는 이 위험한 길을 먼저 지나간 사람의 흔적을 발견했다. 진흙더미 위에 난 황새풀 덤불 가운데에 검은색의 뭔가가 튀어나와 있었다. 홈즈가 그것을 집으려고 길에서 조금 벗어나자 허리까지 늪에 빠져버렸다. 만약 우리가 거기 없었다면 홈즈는 다시는 단단한 땅을 딛지 못했을 것이다. 홈즈가 낡은 검은색 구두를 들어 올렸다. '마이어스 토론토'라는 글씨가 가죽 안쪽에 쓰여 있었다.

"진흙 목욕을 할 만했군. 홈즈가 중얼거렸다. 이건 헨리 경이 잃어버린 구두야."

"스테이플턴이 도망가면서 여기에 버린 거군."

"맞아. 그자가 사냥개에게 헨리 경의 냄새를 맡도록 하기 위해 가지고 있던 거지. 모든 게 끝났다는 것을 알았을 때도 여전히 가지고 있었군. 그리고 이쪽으로 도망치면서 여기에 버린 거야. 적어도 여기까지는 안전하게 들어온 모양이군."

다양한 추측을 할 수는 있었지만 그 이상 알 수는 없었다. 늪에서는 더 이상 그자의 발자국이 발견되지 않았다. 진흙이 스며 올라와 빠르게 발자국을 덮었기 때문이다. 늪을 건너 그 뒤의 단단한 땅에 도착했을 때 우리는 그의 발자국을 찾을 수 있기를 간절히 바랐다. 하지만 아주 작은 흔적조차도 발견할 수 없었다. 만약 땅이 거짓말을 하는 게 아니라면, 스테이플턴

은 어젯밤 안개를 뚫고 피난처가 되어줄 이 섬으로 들어오려 했지만 도착하지 못한 것이 분명했다. 결국 거대한 그림펜의 늪 중앙 어딘가에 냉혈한처럼 잔인했던 그가 영원히 묻힌 것이다. 더러운 진흙투성이인 이 거대한 늪이 그자를 빨아들여 삼켜버린 것이다.

늪과 연결된 섬에서 우리가 발견한 것은 그자가 숨겨놓은 범죄도구들뿐이었다. 커다란 이동용 수레와 잡다한 물품이 들어 있는 갱은 이곳이 버려진 광산임을 알려주고 있었다. 그 옆으로는 인부들이 묵었던 작은 집들이 방치된 채 있었다. 틀림없이 늪 주변에서 나는 더러운 냄새 때문에 버려졌을 것이다. 그 집들 중 하나에는 말뚝, 쇠줄, 갉아먹던 뼛조각들이 사냥개가 있었던 자리임을 보여주고 있었다. 갈색의 털이 엉켜 있는 뼛조각도 그것들 사이에 있었다.

"여기 사냥개가 있었군." 홈즈가 말을 꺼냈다. "이런, 털이 곱슬거리던 스패니얼이야. 불쌍한 모티머 씨는 다시는 그 개를 볼 수 없겠군. 음, 이곳이 우리가 아직 파악하지 못한 비밀을 간직하고 있으리라고는 미처 생각하지 못했어. 사냥개는 여기에 숨길 수 있었지만 그 울음소리까지 감출 수는 없었던 거야. 낮에 들어도 기분 나쁘던 그 울음소리는 여기서 난 것이었어. 일이 있던 날에는 머리핏 하우스 밖에 있는 헛간에 사냥개를 보관했지만 들킬 위험이 있었지. 그래서 그자가 모든 일을 끝내려고 생각했던 날에만 개를 데리고 나왔던 거고. 그릇에 담긴 것은 죽은 사냥개가 발랐던 야광 혼합물이 틀림없군. 당연히 바스커빌 가문의 전설에 나오는 지옥의 사냥개를 흉내낸 것일 테고. 찰스 경을 놀라게 해서 죽게 만들기 위한 계획이었지. 그 불쌍한 탈옥수도 찰스 경처럼 놀라 소리치며 도망가다 죽었고. 헨리 경도 그랬지. 심지어 우리도 황야의 어둠 속에서 그 무시무시한 개에게 쫓겼다면 그랬을 거야. 정말 교활한 수법이었어. 피해자를 죽게 한 방법도 방법이지만, 이런 황야에서 그와 같은 괴생명체를 본다면 어느 농부가 자세히 다가가서 살펴보려고 하겠나? 많은 사람들이 한 것처럼 두려움에 떨 뿐이지. 왓슨, 런던에서도 얘기했지만 지금 다시 한 번 얘기하지. 지금까지 저 늪 어딘가에 빠진 그놈보다 더 위험한 범인을 잡은 적은 없었네." 말을 하면서 홈즈는 긴 팔을 늪을 향해 뻗었다. 초록색의 커다란 입을 가진 늪이 얼룩덜룩하고 거대한 몸을 황야의 황갈색 경사면까지 펼치고 있었다.

15
회상

춥고 안개가 낀 11월의 마지막 날 밤이었다. 홈즈와 나는 베이커 스트리트의 집 거실에서 벽난로를 앞에 두고 양쪽에 나란히 앉아 있었다. 데번셔의 비극적인 사건을 해결한 이후로 홈즈는 매우 중요한 두 가지 사건을 처리했다. 첫 번째는 난퍼렐 클럽의 유명한 카드 사건과 관련된 업우드 대령의 잔인한 범죄를 밝혀낸 것이다. 두 번째는 입양한 딸 카레르의 죽음과 관련해 살인 혐의로 고통 받고 있던 불쌍한 몽팽지에 부인을 변호하는 것이었다. 카레르는 6개월 후 뉴욕에서 결혼해 살고 있는 것으로 밝혀져 주위 사람들을 놀라게 했다. 홈즈는 연속적으로 어렵고 매우 중요한 사건을 해결한 뒤라 기분이 무척 좋은 상태였다. 그래서 나는 바스커빌 사건의 자세한 부분에 대해 얘기하자고 홈즈를 유도할 수 있었다. 사실 나는 인내심을 갖고 이 순간을 기다렸다. 홈즈는 지난 사건은 다시 얘기하지 않는 스타일이었다. 홈즈의 명쾌하고 논리적인 이성은 자신의 관심을 현재의 중요한 사건에서 과거의 기억으로 돌리지 않는다는 것을 나는 잘 알고 있었다. 하지만 모티머 씨가 헨리 경의 긴장된 마음을 풀어주기 위해 긴 여행을 제안했고, 그래서 가는 길에 헨리 경과 함께 런던에 왔었다. 두 사람은 바로 그날 오후에 우리를 방문했기 때문에, 그 사건과 관련한 얘기를 나누는 것이 아주 자연스러웠다.

"이 사건의 전체적인 내용은." 홈즈가 얘기를 시작했다. "사실 자신을 스테이플턴이라고 칭했던 그 남자의 입장에서 보면 단순하고 명료했어. 다만 사건 초기에는 그자의 범행 동기를 알 수 없는 상태에서 부분적인 사실들만을 알았기 때문에 매우 복잡해 보였던 거지. 스테이플턴 부인과 나눈 두 번의 대화에서 많은 도움을 받았어. 이제 그 사건은 완전히 정리되어 우리 둘 사이에 아직 나누지 않은 얘기가 있다고는 생각하지 않았는데? 수사 사건을 정리한 목록 중에서 B항을 보면 그 사건과 관련된 메모들을 볼 수 있을 거야."

"자네의 기억을 바탕으로 전체적인 얘기를 해주면 더 좋을 것 같아."

"그럴까. 하지만 모든 사실을 다 기억할 수 있을지는 모르겠어.

한 가지에 정신을 집중하면 이상하게도 과거의 일들은 잘 기억나지 않거든. 자기 사건에 대해 잘 알고 있어서 그것과 관련해서는 전문가와 논쟁할 수 있는 변호사라도 1~2주 법정에서 그 문제를 다루고 나면 머리에서 다 잊어버리게 마련이잖아. 그것처럼 나도 항상 가장 최근의 사건을 기억하고 있다네. 최근의 카레르 사건 때문에 바스커빌 저택 사건은 기억이 희미해. 아마 내일이면 또 다른 사건에 집중하게 될 테고, 그러면 그 귀여운 프랑스 숙녀 카레르 사건과 악명 높은 업우드 대령 사건도 내 기억 속에서 자연스럽게 사라지겠지. 하지만 그 사냥개 사건은 아직까지 기억이 나니 할 수 있는 최대한 사건 진행에 대해 얘기해보겠네. 내가 기억하지 못하는 부분이 있으면 자네가 지적해주게.

내 조사에 따르면 가족의 초상화는 거짓말을 하지 않았고, 스테이플턴은 정말 바스커빌 가문 사람이었지. 그자는 찰스 경의 막냇동생인 로저 바스커빌의 아들이야. 못된 짓을 하고 남아메리카로 도망쳐서 그곳에서 미혼으로 죽었다고 알려졌던 사람 말일세. 하지만 로저 바스커빌은 결혼을 했고 자식도 한 명 있었어. 그 아이의 진짜 이름은 아버지와 똑같이 로저 바스커빌이었지. 로저 바스커빌은 코스타리카 미녀인 베렐 가르시아와 결혼을 했는데, 상당한 공금을 훔친 후 이름을 밴들러로 바꾸고 영국으로 돌아와 요크셔의 동쪽 지역에 학교를 건립했어. 그가 학교라는 특수한 사업을 시작한 이유는 영국으로 돌아오는 길에 폐결핵에 걸린 교사를 알게 되었기 때문이지. 밴들러는 그 교사의 능력을 활용해서 학교를 건립하는 데 성공했어. 하지만 얼마 후 프레이저 교사는 죽었고, 전염병에 대한 소문으로 시달리던 학교는 결국 문을 닫을 수밖에 없었지. 그러자 밴들러는 이름을 다시 스테이플턴으로 바꾸고, 남은 재산과 미래에 대한 계획, 곤충학에 대한 취미 등을 가지고 영국 남부로 이사한 거야. 영국 박물관에서 알아낸 사실인데, 그자는 곤충학계에서는 권위 있는 전문가로 알려져 있어. 밴들러라는 이름은 그자가 요크셔 지방에 거주할 때 잡은 어떤 나방 이름으로 영원히 기록될 정도였어.

이제 그자의 인생 중 우리가 무척 관심 있어 하는 부분에 대해 얘기해보자고. 그자는 조사를 통해 자신이 그 막대한 재산을 상속받는 데 방해가 되는 사람이 두 명이라는 것을 알았지. 하지만 처음 데번셔에 갔을 때는 아직 계획이 명확하지 않았던 것 같아. 그러나 자신의 아내를 여동생이라고 소개한 걸 보면 그자의 비열한 음모는 처음부터 의도된 것이 분명해. 자신의 계획이 구체적으로 어떻게 될지는 아직 확실하지 않았지만 아내를 미끼로 이용하려는 생각은 이미 하고 있었던 거지. 그러니까 유산을 차지할 생각을 했고, 그것을 위해서는 무엇이든 도구로 사용하고 어떤 위험도 감수할 준비가 돼 있었어. 스테이플턴은 우선 자기 조상들이 살던 땅에 최대한 가까이 자리를 잡았고, 그다음 순서로 찰스 경을 비롯해 주변의 이웃들과 친근한 관계를 형성했던 거야.

찰스 경은 스테이플턴에게 자기 가문에 전해 내려오는 사냥개 얘기를 했고, 결국 그렇게 자신의 죽음을 예고했지. 내가 계속 스테이플턴이라고 부르는 그자는 늙은 찰스 경의 심장이 좋지 않아 충격을 받으면 죽을 수 있다는 것을 모티머 씨에게 들어서 알고 있었어. 또한 찰스 경이 미신을 잘 믿고 가문의 불길한 전설을 매우 심각하게 받아들이고 있다는 사실도 알았고. 나쁜 쪽으로 발달한 그자의 머리는 찰스 경을 죽이면서도 실제 살인자에게 유죄를 선고하기 불가능한 방법을 고안해냈지.

아이디어가 떠오르자 스테이플턴은 아주 놀라운 솜씨를 발휘해 그것을 현실로 만들었어. 일반적인 범죄자라면 아마 단지 사나운 사냥개를 동원하는 것으로 만족했을 거야. 하지만 인공적인 수단을 동원해 사냥개를 정체를 알 수 없는 괴생명체로 만든 것은 그자의 계획 중에서도 가장 뛰어난 부분이었어. 그자는 그 개를 런던 풀럼 로드에 있는 장사꾼인 로스 앤드 맹글스에게서 구입했는데, 그들이 가지고 있던 개 중 가장 힘이 세고 사나운 놈이었지. 그자는 개를 데리고 노스 데번 노선 기차를 타고 내려가 아무도 눈치채지 못하도록 아주 먼 거리를 걸어서 황야로 들어갔던 거야. 그자는 곤충을 쫓아다니며 이미 그림펜 늪을 통과하는 길을 알고 있었기 때문에 사냥개를 숨길 안전한 장소를 확보할 수 있었지. 거기서 사냥개를 기르면서 기회를 노렸던 거야.

하지만 기회가 없었어. 찰스 경을 밤에 저택 밖으로 유인해낼 수가 없었지. 잔인한 살인자는 여러 차례 사냥개와 함께 숨어서 기다렸지만 접근할 수가 없었던 거야. 그러는 동안 사냥개가 마을 사람들에게 목격되었고, 전설 속의 지옥의 사냥개로 새로운 주목을 받았지. 그자는 아내가 찰스 경을 유혹해주기 바랐지만 예상 밖으로 그녀는 완강하게 거부했어. 그녀는 찰스 경을 감정적으로 유인해서 스테이플턴에게 넘겨주는 짓을 하고 싶지 않았던 거야. 위협과 심지어는 폭행으로도 그녀를 움직일 수 없었어. 그녀는 결코 아무 짓도 하지 않았거든. 그래서 스테이플턴은 잠시 교착 상태에 빠졌지.

어려움에 직면했지만 그자는 곧 찰스 경과의 친분을 이용해서 경이 불쌍한 로라 라이언스 부인을 돕도록 유도할 수 있었어. 자신을 미혼이라고 속이고 스테이플턴은 라이언스 부인을 완전히 사로잡았지. 그리고 남편과 이혼한다면 자신과 결혼할 수 있다고 거짓말을 했어. 그런데 그자의 계획은 갑작스럽게 앞당겨졌어. 겉으로는 자신도 동의하는 척했지만 모티머 씨의 조언으로 찰스 경이 저택을 떠난다는 것을 알았거든. 그는 즉시 계획을 실행에 옮겨야만 했어. 그래서 라이언스 부인을 재촉해 경이 런던으로 떠나기 전날 밤 자신을 만나달라는 애원을 담은 편지를 쓰게 한 거야. 그러고는 번드르르한 말로 부인이 약속 장소에 나가는 것을 막고, 경을 밖으로 꾀어낼 수 있는 절호의 기회를 잡았던 거지.

그날 저녁 쿰 트레이시에서 돌아온 스테이플턴은 사냥개가 무시무시해 보이도록 물감을 바른 다음 개를 데리고 찰스 경이 기다리고 있는 황야로 나가는 문으로 갔어. 주인에게 자극

받은 사냥개는 문을 뛰어넘어 찰스 경을 쫓기 시작했고, 경은 비명을 지르며 주목나무 산책로를 달려 내려갔던 거야. 그 터널처럼 음침한 산책로에서 정말 끔찍한 모습이었을 거야. 입 주변에서 불을 뿜고, 불타듯 이글거리는 눈동자의 커다란 검은 괴생명체가 쫓아왔으니 말이야. 결국 경은 산책로 끝에서 심장병과 공포로 인한 충격으로 죽고 말았지. 찰스 경이 길을 따라 달리는 동안 사냥개는 그 옆의 풀밭 위로 쫓아왔기 때문에 산책로에는 오직 경의 발자국만 남았던 거야. 경이 쓰러졌을 때 아마 그 사냥개가 다가가서 냄새를 맡았을 거야. 하지만 죽었다는 것을 알고 다시 돌아서 황야로 나갔어. 그때 남은 발자국을 모티머 씨가 발견한 거지. 사냥개는 다시 급히 그림펜 늪의 집으로 돌아갔고. 그 후 경찰에게는 의문점만 남았고, 지역 주민들은 비탄에 빠졌으며, 마침내 우리한테까지 의뢰가 들어왔던 거야.

이것이 찰스 바스커빌 경의 죽음에 관한 얘기 전부일세. 자네가 알고 있듯이 악마처럼 교활한 이 사건은 정말로 실제 살인자를 찾기가 거의 불가능할 정도였어. 그자의 유일한 공범인 사냥개는 그자를 배신할 수 있는 존재가 아니었고, 괴이하고 상상하기도 힘든 그 개의 외모 때문에 사건은 더욱 어렵게 꼬였으니 말일세. 이 사건과 연관이 있는 두 명의 여자, 즉 스테이플턴 부인과 로라 라이언스 부인은 둘 다 스테이플턴에게 강한 의심을 가지고 있었어. 스테이플턴 부인은 그자가 찰스 경을 상대로 음로를 꾸민 것과 사냥개의 존재를 알고 있었잖아.

라이언스 부인은 이런 것까지는 몰랐지만, 찰스 경이 죽은 시각은 자신과의 약속 시각이었기에 오직 스테이플턴만이 알 수 있었다는 사실을 알고 있었고. 하지만 둘 다 그자의 영향력 아래 있었기 때문에 걱정할 필요가 없었지. 그자가 꾸민 음모의 절반은 이렇게 성공적으로 마무리됐지만, 훨씬 어려운 부분이 아직 남아 있었지.

캐나다에 다른 상속자가 있었다는 사실을 스테이플턴은 아마 몰랐던 것 같아. 하지만 어떤 얘기든 자신의 친구였던 모티머 씨를 통해 금방 알 수 있었지. 그리고 헨리 바스커빌이 도착한다는 자세한 얘기를 듣게 된 거야. 스테이플턴의 최초 계획은 캐나다에서 온 헨리 경이 데번셔에 내려오기 전에 런던에서 죽일 수 있는 기회를 찾는 거였어. 하지만 아내를 믿을 수가 없었지. 찰스 경을 함정에 빠뜨리는 계획을 그녀가 거부한 이후로 혹시 배반할까 봐 오랫동안 혼자 놔둘 수가 없었거든. 그래서 그녀를 데리고 런던으로 함께 왔어. 그들이 묵었던 크레이븐 스트리트에 있는 멕스버러 호텔을 내가 찾아냈다네. 사실 그곳은 내가 보낸 사람이 증거를 찾기 위해 들렀던 호텔 중 하나야. 이곳에서 그자는 아내를 방에 가두어두고, 턱수염으로 변장을 한 후 모티머 씨를 따라 여기 베이커 스트리트까지 왔다 그 후 기차역을 거쳐 노섬벌랜드 호텔까지 갔지. 그자의 부인은 남편의 음모를 어느 정도 눈치챘지만 자신을 폭력적으로 다루는 남편에 대한 두려움 때문에 헨리 경이 위험에 빠져 있다는 편지를 감히 쓸 수가 없었어. 아마 그 편지가 스테이플턴에게 발각되었다면 부인은 죽었을 거야. 결국 부인은 우리가 알고 있듯이 신문 활자를 오려서 편지를 만드는 방법을 택했고, 거짓 필체로 주소를 적어 보낸 거야. 그 편지는 헨리 경에게 전달되었고 위험하다는 첫 번째 경고를 하게 되었지.

헨리 경의 옷이나 구두 중 일부를 구하는 것은 스테이플턴에게 매우 중요한 일이었어. 그렇게 하면 필요할 때 사냥개를 이용할 수가 있고, 헨리 경의 냄새를 알고 있는 사냥개는 언제든 경을 추적할 수 있을 테니까. 그자는 민첩하고 대담하기 때문에 한꺼번에 이 모든 것을 준비할 수 있었을 거야. 거기에는 호텔의 구두닦이나 방 청소하는 직원이 그자에게 매수되어 도왔을 테고. 하지만 우연히 그자가 훔친 첫 번째 구두가 새것이라 계획에 맞지 않았지. 그래서 새 구두를 돌려보내고 다른 구두를 훔친 거야. 사실 이 부분이 매우 인상적이었어. 이 사건에 진짜 사냥개가 관련되었다는 사실을 밝히고 나니 왜 그렇게 낡은 구두를 얻기 위해 열심히 노력했는지, 그리고 새 구두에는 왜 관심이 없는지 설명이 되더군. 이상하고 기괴한 사건일수록 더 주의 깊게 조사할 필요가 있다네. 사건을 복잡하게 만드는 바로 이런 요소를 정식으로 조사하고 과학적으로 다루면 사건을 해결할 가능성이 그만큼 높아지거든.

그다음 날 우리의 친구들이 우리를 방문했을 때 스테이플턴은 마차를 타고 숨어 있었어. 내 방과 내 존재를 안다는 사실과 그자가 움직이는 방식을 보면서 나는 스테이플턴의 범죄 경력이 바스커빌 사건 하나로 국한되지 않는다는 것을 직감할 수 있었어. 이런 추측이 지난 3년간 서쪽 지역에서 발생한 아직 범인이 잡히지 않은 네 건의 주목할 만한 강도 사건을 떠올리게 했고. 이들 중 5월에 포크스톤 코트에서 발생한 마지막 사건은 복면을 한 범인이 자신을 놀라게 한 호텔 직원을 잔인하게 총으로 쏜 사건으로 주목받았지. 스테이플턴은 이런 식으로 부족한 돈을 채웠던 것이 분명해. 지난 몇 년간 그자는 절망적이고 매우 위험한 상태였던 걸세.

그날 아침 스테이플턴이 우리의 추적을 따돌리는 것을 보고 그자의 비상 시 대처 능력을 알 수 있었고, 또다시 돌아와 내 이름을 말해 마부를 통해 메시지를 전달한 것으로 대담성을 확인할 수 있었다네. 그 순간 그자는 내가 이 사건을 맡은 이상 런던에서는 기회가 없다는 것을 알았던 거야. 그래서 다트무어로 돌아가 헨리 경이 돌아오기를 기다린 거지."

"잠깐만!" 내가 끼어들었다. "자네는 지금까지 사건을 순서에 따라 정확하게 설명했어. 그런데 설명하지 않은 부분이 있어. 스테이플턴이 런던에 있을 때 사냥개는 누가 돌본 거지?"

"그 문제에 대해서 내가 생각을 좀 해봤는데 분명히 아주 중요한 문제야. 스테이플턴에게는 공범자가 있었던 게 분명해. 모든 계획을 공유하여 자신이 곤란에 빠지는 것을 걱정하지 않아도 될 정도로만 협력하는 공범자 말이야. 바로 그 머리핏 하우스에 있던 늙은 하인이지. 하인의 이름은 앤터니야. 그와 스테이플턴의 관계는 학교를 운영하던 몇 년 전으로 거슬러 올라간다네. 그래서 하인은 자신의 주인과 여주인이 부부라는 사실을 알고 있었어. 이 남자는 사건 후 사라져 그 지역에서 자취를 감췄어. 앤터니라는 이름은 영국에서 흔한 이름이 아니잖아. 그 이름으로 봐서 스페인이나 스페인계 라틴 아메리카 사람일 거야. 그 남자는 스테이플턴 부인처럼 영어를 잘했지만 어딘가 발음이 좀 어색했지. 나는 이 남자가 스테이플턴이 표시해둔 길로 그림펜 늪을 건너는 것을 본 적이 있어. 스테이플턴이 없을 때는 이자가 그 사냥개를 돌본 것이 확실해. 그 사냥개의 용도가 무엇인지는 몰랐을 테지만 말이야.

스테이플턴 부부가 데번셔로 내려간 후 자네와 헨리 경이 금방 따라 내려갔잖아. 당시 내가 잠시 멈칫했던 부분에 대해 얘기하지. 아마 자네도 기억할 거야. 그 신문을 오려 만든 편지를 살펴볼 때 내가 편지에 묻은 작은 물방울 자국을 아주 자세히 봤던 것 말이야. 아주 정밀하게 들여다봤지. 거기서 화이트 재스민으로 알려진 향수의 향을 희미하게 맡을 수 있었어. 향수는 75여 종이 있지만 범죄 전문가는 그 각각의 냄새를 모두 구분할 수 있어야 해. 그 향들을 정확히 알아차리는 것이 사건 해결의 중요한 단서가 된 경우를 여러 차례 경험했거든. 그 향으로 이 사건에 여자가 개입되었다는 것을 알았고, 그때 이미 내 생각은 스테이플턴 부부에게로 향하기 시작했지. 그래서 나는 그곳에 내려가기 전에 사냥개의 존재를 확신했고, 범인이 누구인지 추측할 수 있었다네.

스테이플턴을 지켜보는 것은 게임 같은 것이었어. 하지만 분명히 내가 자네와 함께 그곳에 갔다면 이 사건을 해결할 수 없었을 거야. 그자가 아주 조심스럽게 자신을 감추었을 테니까. 그래서 나는 자네를 포함한 모든 사람을 속이기로 하고 런던에 있는 것처럼 위장한 후 비밀리에 그곳에 간 걸세. 자네가 생각하는 것처럼 그렇게 힘들지는 않았어. 그런 하찮은 일로 사건 수사를 망치는 일은 결코 없거든. 나는 주로 쿰 트레이시에 있었고, 꼭 필요한 경우에만 황야에 있는 그 오두막을 사용했지. 카트라이트가 나와 함께 내려갔잖아. 시골 소년으로 위장한 그 아이는 나에게 아주 큰 도움을 주었어. 카트라이트가 내게 음식과 깨끗한 속옷을 공급해주었지. 내가 스테이플턴을 감시할 때 카트라이트는 주로 자네를 살펴봤어. 그래서 나는 모든 일들을 다 지켜볼 수 있었고.

자네에게 이미 얘기했듯이 자네의 보고서는 베이커 스트리트에 도착하는 즉시 쿰 트레이시로 전달되게끔 해두었지. 그것은 정말 큰 도움이 되었는데, 특히 우연히 스테이플턴이 자신의 과거를 얘기한 부분이 그랬다네. 나는 그자와 부인의 정체를 확인할 수 있었고, 마침내 정확히 내가 어떻게 해야 하는지 알았지. 이 사건은 감옥을 탈출한 죄수와 배리모어 부부가 얽히면서 상당히 복잡해졌어. 그 문제는 자네가 아주 효과적인 방법으로 밝혀냈지만, 사실 나도 이미 관찰을 통해 같은 결론을 내리고 있었다네.

자네가 나를 황야에서 발견할 무렵 나는 이 사건 전체에 대해 이미 완벽하게 알고 있었지만 배심원이 있는 재판까지 가기에는 부족했어. 그날 밤 헨리 경을 죽이려던 스테이플턴의 시도 말이야. 결국 불쌍한 탈옥수가 죽었지만 그것도 그자의 살인죄를 증명하는 데 도움이 되지 못했지. 결국 현행범으로 잡는 것밖에 방법이 없는 것 같더군. 그래서 아무런 보호 장치도 없는 미끼로 헨리 경을 이용했던 거야. 결국 헨리 경을 여러 차례 놀라게 한 끝에 이 사건을 해결할 수 있었고, 스테이플턴을 파멸로 몰아갈 수 있었던 걸세. 헨리 경을 그런 위험에 노출시킨 것, 사건이 그렇게 되도록 한 것에 대해 나는 분명 비난받아야겠지. 하지만 그런 사냥개가 나타나 온몸이 마비될 정도로 끔찍한 상황을 만들 줄 누가 알았겠나. 또 그렇게 짧은 순간에 우리 앞에 안개가 나타날 줄도 몰랐고. 우리는 목적을 달성했지만 대가도 치렀지. 전문가와 모티머 씨 모두 일시적인 충격이라고 안심시키긴 했지만 말일세. 긴 여행이 아마도 헨리 경의 피폐해진 신경뿐만 아니라 상처받은 감정도 치료해 주겠지. 그녀에 대한 경의 사랑은 깊고 진실된 것이었어. 이 끔찍한 사건에서 헨리 경이 가장 힘들어하는 부분은 아마 자신이 그녀에게 속았다는 사실일 거야.

이제 남은 얘기는 스테이플턴 부인의 전체적인 역할에 관한 것뿐이군. 스테이플턴은 그녀에게 상당한 영향력을 행사했는데, 그것은 사랑 혹은 두려움, 어쩌면 둘 다일 가능성이 높아 보여. 두 감정이 공존할 수 없는 것은 아니니까. 뭐였든 그것은 무척 효과적이었어. 스테이플턴이 그녀에게 동생 역할을 요구하자 그녀는 그렇게 했어. 직접적인 살인을 돕는 미끼로 쓰려던 자신의 계획을 거부해 지배력에 한계가 있다는 것을 드러내긴 했지만 말이야. 그녀는 자신의 남편을 거론하지 않는 선에서 헨리 경에게 경고를 보냈고, 그 이후에도 계속 여러 차례 경고를 했지. 스테이플턴은 자신의 계획이기는 했지만 헨리 경이 자기 아내에게 구애를 하자 질투를 느꼈던 것 같아. 그동안 무척 잘 감추고 있던 불같은 본성을 억누르지 못하고 감정적으로 폭발하고 만 걸 보면. 그는 부인과 헨리 경이 친밀해지면 경이 자주 머리핏 하우스에 오게 유도할 수 있고, 그럼 조만간 경을 처치할 수 있는 기회를 잡을 수 있다고 확신했겠지. 그런데 바로 그 중요한 날에 아내가 갑자기 자기에게 저항을 한 거지. 그녀는 탈옥수의 죽음과 관련된 얘기를 들었을 테고, 헨리 경이 저녁을 먹으러 오는 그날 저녁에 사냥개가 헛간에 있는 것을 알았던 거야. 그녀는 계획적인 범죄를 저지른 남편을 비난했을 테고, 이에 분노한 스테이플턴은 그날 처음으로 그녀에게 라이언스 부인과의 관계를 밝혔을 거야. 남편에게 충실했던 스테이플턴 부인의 감정은 한순간에 매서운 증오로 변했고, 스테이플턴은 그녀가 배신할지도 모른다 생각했지. 그래서 그녀를 묶어 두었기 때문에 그날은 헨리 경에게 경고를 할 기회가 없었던 거야. 스테이플턴은 틀림없이 이 시골 지역 사람들이 헨리 경의 죽음을 가문의 저주 때문이라고 믿을 거라고 예측했고, 아마 마을 사람들은 정말 그렇게 했을 거야. 그렇게 되면 결국 그녀도 이미 벌어진 일을 받아들이고 알고 있는 사실에 대해 침묵할 것이라고 예상했지. 그런데 내가 보기에 이 부분에서 스테이플턴이 판단 착오를 일으킨 것 같아. 만약 우리가 그곳에 없었더라도 그자는 불행한 운명을 맞았을 거야. 스페인 혈통인 점을 감안할 때 그녀가 자신이 입은 그 정도의 상처를 가볍게 여기진 않았을 테니까. 왓슨, 이제 내 노트를 참고하지 않는 한 이 흥미로운 사건에 대해 이보다 더 자세히 설명할 수는 없네. 중요한 부분은 모두 설명한 것 같군."

"하지만 정말 스테이플턴은 찰스 경에게 했던 것처럼 사냥개로 헨리 경을 놀라게 해서 죽일 수 있을 거라 생각했을까?"

"그 야수는 매우 사나웠고 상당히 굶주려 있었네. 그 개의 모습이 헨리 경을 죽일 정도로 놀라게 하지는 못하더라도 헨리 경이 저항하지 못하도록 만드는 데는 충분했겠지."

"틀림없이 그랬겠지. 이제 풀어야 할 게 딱 하나 남았어. 만약 스테이플턴이 상속자가 되었다면, 그자는 자신이 다른 이름으로 저택에 그렇게 가깝게 살고 있었다는 사실을 어떻게 설명하려고 했을까? 어떻게 의심이나 조사를 받지 않고 그런 주장을 펼치려고 했을까?"

"상당히 어려운 문제군. 그리고 자네가 마치 내가 모든 것을 아는 것처럼 너무 많은 것을 질문해서 겁이 나는군. 과거와 현재는 조사를 통해 알 수 있어. 하지만 그 남자가 미래에 뭘 하려고 했는지는 대답하기 곤란한 질문이야. 스테이플턴 부인은 남편이 여러 가지 경우에 대해 의논하는 소리를 들었다더군. 세 가지 가능한 경우가 있다고 했어. 먼저 남아메리카에서 재산 상속을 주장하는 거지. 그곳에 있는 영국 대사관에서 자신의 신분을 확인하고 영국에 올 필요도 없이 유산을 상속할 생각이었던 거야. 또는 유산상속을 위해 그자가 런던에 있어야만 하는 짧은 기간에는 정교한 변장을 해서 속이는 방법도 가능하고. 아니면 공범을 한 명 만들어서 모든 증거와 서류를 제출해 그 공범을 상속자로 꾸미고, 그가 물려받는 재산 중 일부를 차지하는 방법도 있지. 스테이플턴은 어떻게든 어려움을 해결하고 유산을 차지하는 방법을 생각해냈을 거야. 자 이제, 왓슨. 우리는 지난 몇 주 동안 일만 했어. 오늘 밤은 우리의 생각을 사건이 아닌 다른 즐거운 쪽으로 돌리는 것이 좋을 것 같군. 나한테 오페라 〈위그노 교도들〉 특별석 표가 있다네. 드 레즈케 남매(폴란드의 전설적인 성악가 삼 남매 – 옮긴이)라고 들어봤지? 30분 안에 준비하라고 하면 무리인가? 가는 길에 마르치니에 들러 간단하게 식사를 하자고."